ORIZZONTI

Peter Heather   John Rapley

LA CADUTA DEGLI IMPERI

Roma e il futuro dell'Occidente

Traduzione di Tullio Cannillo

MONDADORI

A mondadori.it

ISBN 978-88-04-78639-9

Copyright © Peter Heather and John Rapley, 2023
First published by Allen Lane, an imprint of Penguin Press
Penguin Press is part of the Penguin Random House group of companies
© 2024 Mondadori Libri S.p.A., Milano
Titolo dell'opera originale
Why Empires Fall
I edizione giugno 2024

INDICE

LA CADUTA DEGLI IMPERI

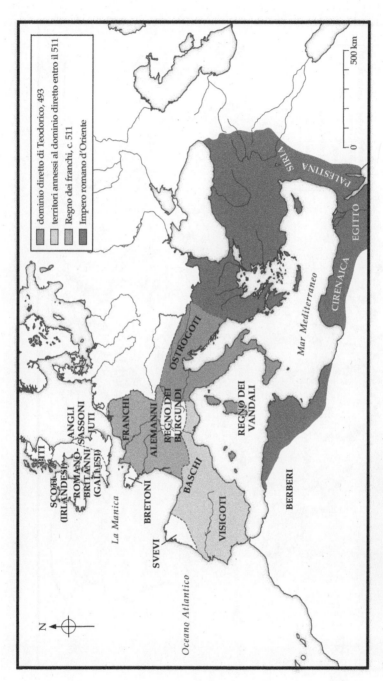

Il mondo postromano intorno al 510 d.C.

Legenda:
- dominio diretto di Teodorico, 493
- territori annessi al dominio diretto entro il 511
- Regno dei franchi, c. 511
- Impero romano d'Oriente

500 km

N

SCOTTI (IRLANDESI)

ANGLI SASSONI JUTI

"ROMANO-BRITANNI (GALLESI)"

La Manica

BRETONI

SVEVI

Oceano Atlantico

FRANCHI

ALEMANNI

REGNO DEI BURGUNDI

BASCHI

VISIGOTI

OSTROGOTI

REGNO DEI VANDALI

Mar Mediterraneo

BERBERI

CIRENAICA

EGITTO

SIRIA

PALESTINA

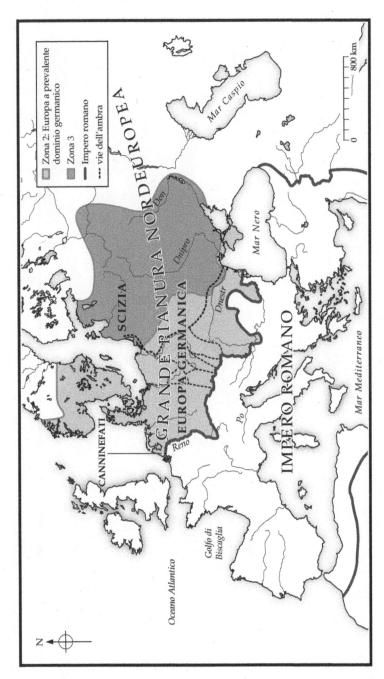

Lo sviluppo europeo alla nascita di Cristo.

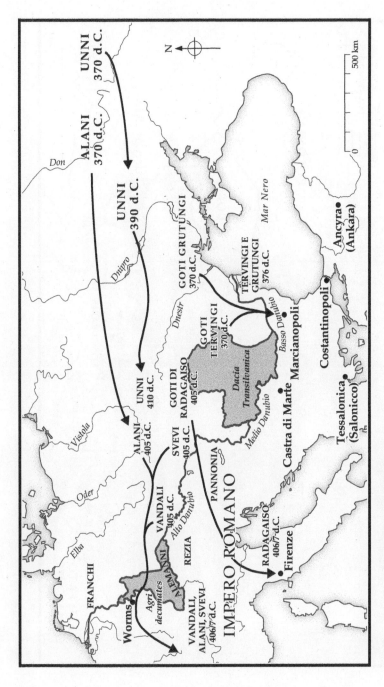

Tre invasioni barbariche del tardo Impero romano.

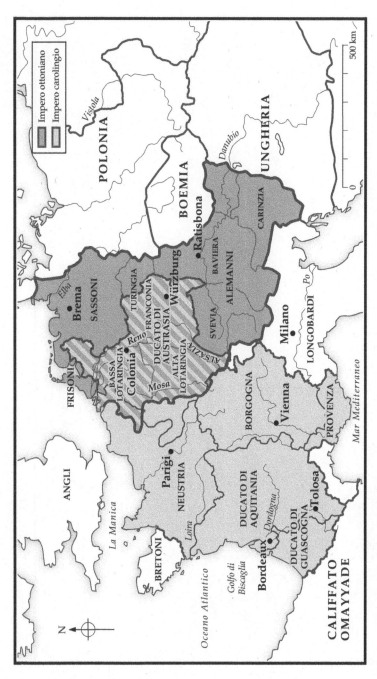

Territori degli imperi carolingio e ottoniano.

FOLLOW THE MONEY

L'Occidente può tornare a essere grande? E dovrebbe poi provarci?

Tra il 1800 e l'inizio di questo millennio l'Occidente arrivò a dominare il pianeta. Nel corso di quei due secoli, passò dall'essere uno dei coprotagonisti di un'economia globale in ascesa a responsabile di almeno di otto decimi del prodotto mondiale. Contemporaneamente il reddito medio nel mondo occidentale – le odierne economie sviluppate dell'OCSE – aumentava da un livello all'incirca pari a quello del resto dell'umanità a un livello cinquanta volte superiore.

Questo schiacciante dominio economico stimolò una riconfigurazione politica, culturale, linguistica e sociale del pianeta a immagine dell'Occidente. Quasi ovunque lo stato nazionale, un prodotto dell'evoluzione interna dell'Europa, divenne il fondamento della vita politica, sostituendosi all'immensa varietà di città-stato, regni, califfati, vescovadi, sceiccati, domini tribali, imperi e regimi feudali che in precedenza avevano punteggiato il globo. L'inglese divenne la lingua del commercio globale, il francese (e, più tardi, ancora l'inglese) quella della diplomazia globale. Il mondo depositava i suoi surplus nelle banche occidentali, mentre la sterlina e successivamente il dollaro sostituivano l'oro come lubrificante del commercio tra le nazioni. Le università occidentali divennero mete agognate degli intellettuali più ambiziosi di tutto il mondo, e verso la fine del XX secolo il pianeta si divertiva con i film di Hollywood e il calcio europeo.

Poi, all'improvviso, la storia invertì la sua marcia.

Mentre la Grande recessione del 2008 si trasformava nella Grande stagnazione, la quota dell'Occidente del prodotto globale declinava dall'80 per cento al 60 per cento, e da allora ha continuato a diminuire, anche se più lentamente. I salari reali sono precipitati, la disoccupazione giovanile ha spiccato il volo e i servizi pubblici sono stati erosi via via che il debito – pubblico e privato – aumentava drasticamente. Nel discorso politico liberal-democratico dell'Occidente l'insicurezza e la divisione interna hanno preso il posto della solida fiducia degli anni Novanta. Al tempo stesso, altri modelli, in particolare la pianificazione centralizzata autoritaria dello stato cinese, hanno acquistato un'influenza sempre maggiore sulla scena mondiale, sostenuti da un'economia che negli ultimi quattro decenni aveva realizzato uno strabiliante incremento annuale medio del reddito pro capite superiore all'8 per cento, il che significava che i redditi reali dei cinesi raddoppiavano ogni dieci anni. Perché l'equilibrio del potere mondiale si è rovesciato in modo così spettacolare a danno dell'Occidente? Si tratta di un declino che può essere invertito, oppure di un'evoluzione naturale a cui l'Occidente farebbe meglio a adattarsi?

Non è la prima volta che il mondo è testimone di un'ascesa e caduta così repentina. L'ascesa di Roma a quello che era ai suoi occhi il dominio globale iniziò nel II secolo a.C., e la sua egemonia durò per quasi cinquecento anni, per poi infrangersi verso la metà del I millennio d.C. Sebbene il crollo di Roma sia avvenuto millecinquecento anni fa, questo libro sostiene che esso abbia ancora lezioni importanti per il presente, se si utilizza l'Impero romano, e il mondo più vasto che generò, per ripensare al corso della storia e alla situazione attuale dell'Occidente contemporaneo. Non siamo i primi a ritenere che il destino di Roma potrebbe avere qualcosa da insegnare al mondo moderno, ma finora la sua storia è stata utilizzata per proporre una diagnosi di ciò che

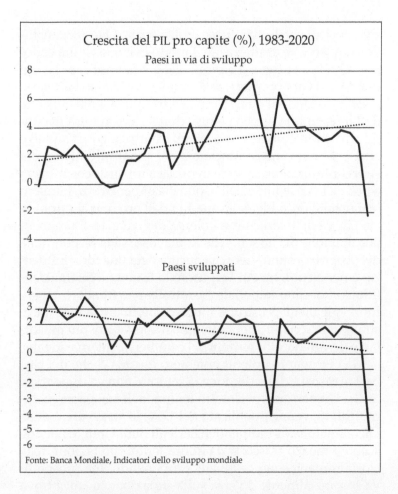

Crescita del PIL pro capite (%), 1983-2020

Fonte: Banca Mondiale, Indicatori dello sviluppo mondiale

sta accadendo fortemente condizionata da un punto di vista che al centro di tutto mette l'Occidente. Come ha scritto lo storico Niall Ferguson in un prestigioso commento sul massacro del Bataclan a Parigi nel 2015, pubblicato sui più autorevoli giornali di entrambe le sponde dell'Atlantico (fra l'altro sul «Sunday Times» e sul «Boston Globe»), l'Europa «è andata incontro alla decadenza nei suoi centri commerciali e nei suoi stadi sportivi» mentre faceva entrare «nuovi venuti che hanno agognato alla sua ricchezza senza rinunciare alla loro fede ancestrale ... Come l'Impero romano all'inizio del V secolo, l'Europa ha *consentito* (corsivo nostro) che le sue difese crollassero». Questo, conclude Ferguson, «è esattamente il modo in cui le civiltà cadono». Qui la sua fonte d'ispirazione è il famoso capolavoro di Edward Gibbon, *Storia della decadenza e caduta dell'Impero romano*, secondo il quale Roma soffrì di una lenta erosione dall'interno non appena smise di resistere ai nuovi venuti – una strana miscela di cristiani e barbari, goti, vandali e altri – che avevano cominciato a prosperare all'interno dei suoi confini. Come se fosse in preda a un virus che minava a poco a poco le forze dell'ospite in cui penetrava, l'impero lentamente decadde dalla sua Età dell'oro fino al punto in cui perse effettivamente la volontà di vivere. La fondamentale opinione di Gibbon – che Roma fosse stata responsabile del proprio destino – esercita ancora oggi una forte influenza, e per alcuni, tra cui Ferguson, la lezione è chiara. L'antidoto al declino imperiale è controllare le frontiere, tenere fuori «gli alieni», costruire muri e riaffermare la fede ancestrale, abbracciando nel contempo nazionalismi più muscolari e riesaminando i termini del commercio internazionale.[1]

Ma per quanto potenti potessero essere i cliché dei barbari invasori e della decadenza interna, non va dimenticato che Gibbon scriveva molto tempo fa. Il suo primo volume, infatti, venne pubblicato nel 1776, lo stesso anno della Dichiarazione di indipendenza degli Stati Uniti, e nei due secoli e mezzo trascorsi da allora le interpretazioni della storia romana sono cambiate, proponendo una prospettiva sostanzialmente diversa sulla situazione in cui si trova oggi l'Occidente e su come è probabile che questa evolva nei prossimi decenni.

La possibilità che una storia romana riveduta contribuisse a un'interpretazione alternativa, decolonizzata, dell'attuale situazione dell'Occidente si presentò chiaramente in una conversazione tra i due autori oltre un decennio fa. Peter Heather si occupa di storia romana e postromana, con un interesse particolare per il modo in cui la vita ai margini di un impero globale trasformò le società attratte nella sua orbita. John Rapley si occupa di economia politica con un interesse particolare per la globalizzazione quale viene vissuta in concreto nei moderni paesi in via di sviluppo. Una lunga discussione pomeridiana mise in evidenza come entrambi stessimo arrivando a conclusioni simili circa la dissoluzione degli imperi assai diversi su cui lavoriamo.

Entrambi sostenevamo che i «nostri» rispettivi imperi, più che aver visto il proprio futuro interamente determinato dalle scelte e dagli eventi che avevano luogo all'interno dei loro domini, fondamentalmente iniziarono a generare la fine del loro stesso predominio a causa del tipo di trasformazioni che avevano scatenato nel mondo circostante. Malgrado le profonde differenze tra l'antica Roma e il moderno Occidente (e a volte proprio a causa di tali differenze), le due storie sono reciprocamente illuminanti. C'è un ciclo della vita imperiale che inizia con lo sviluppo economico. Gli imperi sorgono per generare nuovi flussi di ricchezza per un nucleo imperiale dominante, ma, nel farlo, creano nuova ricchezza sia nelle province conquistate sia in alcuni territori più periferici (terre e popoli che non sono formalmente colonizzati ma vengono attratti in rapporti di subordinazione economica con il nucleo in via di sviluppo). Tali trasformazioni economiche sono destinate ad avere conseguenze politiche. Qualunque concentrazione o flusso di ricchezza è il potenziale mattone costitutivo di nuovo potere politico per gli attori che sono in grado di sfruttarlo. Per conseguenza diretta, lo sviluppo economico su vasta scala nella periferia avvia un processo politico che alla fine metterà in discussione il dominio del potere imperiale che ha dato inizio al ciclo originario.

Questa logica economica e politica è talmente potente che un certo grado di declino relativo del vecchio centro imperiale diventa inevitabile. Non è possibile «fare di nuovo grande l'America» (o il Regno Unito o l'Unione europea) semplicemente perché l'esercizio stesso del dominio occidentale negli ultimi due secoli ha riorganizzato i mattoni del potere strategico globale su cui quella «grandezza» era basata. Il che significa pure che i tentativi privi delle conoscenze appropriate di invertire direttamente il declino relativo, del tipo visto di recente con il movimento Make

America Great Again («MAGA») o con la britannica Brexit, rischiano soltanto di accelerare e approfondire il processo. Il risultato complessivo, però, non deve essere necessariamente il crollo catastrofico della civiltà sotto forma di declino economico assoluto su vasta scala e di esteso sconvolgimento sociale, politico e anche culturale.

Come la storia del mondo romano mette ulteriormente in evidenza, gli imperi possono reagire al processo di assestamento con una serie di possibili misure, da quelle profondamente distruttive ad altre molto più creative. Il moderno Occidente è vicino all'inizio del proprio processo di assestamento, mentre il mondo romano ha affrontato il suo molto tempo fa, e, anche in questo caso, un confronto serrato offre importanti elementi di riflessione. Il significato reale delle traiettorie di sviluppo visibili nel moderno Occidente – oggi in una fase relativamente iniziale – risalta meglio dalla comparazione con i mutamenti a lungo termine osservabili nel corso dell'evoluzione dell'Impero romano e poi della sua disintegrazione nel mezzo millennio che seguì la nascita di Cristo.

Per analizzare l'intero potenziale di questo confronto, il libro è diviso in due parti. La Parte prima utilizza la storia romana per comprendere l'ascesa del moderno Occidente. Essa mette in luce il grado sorprendente in cui l'evoluzione interna economica e politica del moderno Occidente nel corso degli ultimi secoli ha riecheggiato quella dell'Impero romano, e analizza le ragioni per cui il suo stupefacente dominio dell'economia mondiale è declinato in modo così significativo ed è destinato a declinare ulteriormente. Ma, mentre la sfida moderna proveniente dalla periferia in via di sviluppo è ancora in fase iniziale, il ruolo di una periferia in ascesa sia nel minare alla base l'Impero romano sia nel generare nuovi mondi all'indomani del suo collasso può essere studiato a fondo. Quindi la Parte seconda adotta un'impostazione leggermente diversa: le due vicende imperiali non possono essere seguite in parallelo, dato che una di esse è ben lungi dall'essersi conclusa. L'inizio è un esame ravvicinato del crollo dell'Impero romano per identificare i fattori chiave in gioco in quel processo, mentre i rimanenti capitoli discutono la rilevanza di ciascuno di questi fattori per il moderno Occidente e utilizzano le testimonianze del passato per esaminare la gamma di esiti a più lungo termine – migliori e peggiori – che sono probabili oggi. Non è possibile fare di nuovo grande l'Occidente nel senso di riaffermare un dominio globale incontestato, ma il necessario processo di riassestamento può inserire il meglio della civiltà occidentale in un nuovo ordine globale emergente, oppure minare alla base le migliori speranze del perdurare della prosperità delle popolazioni occidentali in un mondo rinnovato. In ultima analisi, come ancora una volta mette in evidenza la storia dell'antica Roma, il futuro dell'Occidente dipenderà dalle scelte politiche ed economiche che i suoi cittadini e i suoi leader compiranno negli anni cruciali che abbiamo davanti.

PARTE PRIMA

I

FAR FESTA COME SE FOSSE IL 399...

Washington (DC), 1999

Nell'attuale clima politico di aspra divisione e pubblica collera per l'aumento della disuguaglianza, i livelli di vita stagnanti, il debito in crescita e il degrado dei servizi pubblici, è difficile ricordare che soltanto vent'anni fa il futuro dell'Occidente sembrava molto diverso. Quando il XX secolo entrò nel suo ultimo anno, l'America era il centro del mondo. La disoccupazione era crollata ai minimi storici e l'economia statunitense – di gran lunga la maggiore del mondo – godeva del più lungo periodo di crescita che avesse mai conosciuto, con il mercato azionario che segnava ogni anno un incremento a due cifre. Cavalcando il boom delle dot-com, milioni di americani che detenevano azioni si arricchivano di giorno in giorno, spendendo i guadagni inattesi in un ciclo virtuoso che significava un'economia in rapida ascesa. E non solo in America: l'intero Occidente – le ricche economie industrializzate costituite perlopiù da amici e alleati dell'America nell'Europa occidentale, in Canada e in Asia (Australia, Nuova Zelanda e in seguito Giappone) – stava in sella al pianeta come un colosso, con la sua prosperità e i suoi valori di libertà individuale, democrazia e liberi mercati considerati un dato di fatto immutabile.

Dieci anni prima, in quello che parve il momento storico decisivo del XX secolo, le proteste nell'Europa orientale avevano rovesciato i governi comunisti. Due anni dopo, l'Unione Sovietica votò la propria estinzione, e gli economisti americani cominciarono a viaggiare per il mondo, facendo presenti ai governi i vantaggi di una ricostruzione delle loro economie e delle loro istituzioni politiche sul modello dell'Occidente. Perfino il Partito comunista cinese abbracciò il mercato. La Germania si riunificò, l'Europa uscì della recessione, la Gran Bretagna non era mai stata in un simile stato di grazia, e l'America conobbe una fase di crescita impressionante. Nel 1999 la quota del prodotto globale consumata dall'Occidente raggiunse il livello più alto mai registrato: un sesto della popolazione del pianeta consumava incredibilmente i quattro quinti della produzione mondiale di beni e servizi.

Nel suo discorso sullo stato dell'Unione del 1999, che trasudava un ottimismo secondo il quale i bei giorni non sarebbero mai finiti, il presidente degli Stati Uniti Bill Clinton dichiarò che «le promesse del nostro futuro sono illimitate». Dato che gli economisti gli dicevano che si era affermata una «grande moderazione», un'èra di stabilità economica destinata a procurare una crescita senza fine, la sua amministrazione conclude che gli avanzi di bilancio del governo ben presto avrebbero raggiunto il livello dei trilioni di dollari. Mentre Clinton esortava il Congresso a riversare parte di questa enorme quantità di denaro nelle pensioni e nell'assistenza sanitaria, il suo segretario al Tesoro annunciava che, dopo decenni di deficit in aumento, gli Stati Uniti avrebbero finalmente iniziato a rimborsare tutti i debiti che i loro governi avevano accumulato nel corso dei duecento anni precedenti, iniettando ancor più denaro nelle tasche degli americani comuni. Nel frattempo, al di là dell'Atlantico, il governo del New Labour di Tony Blair, sfidando lo *Zeitgeist*, promosse un ampliamento estremamente ambizioso dei servizi pubblici, mentre l'Unione europea, piena di tranquilla fiducia in sé stessa, si preparava ad accogliere buona parte dell'ex blocco sovietico nel club di élite delle democrazie occidentali.

Ancora pochi anni e l'ottimismo si dissolse. La crisi finanziaria globale del 2008 fu in breve seguita da una Grande recessione e poi da una Grande stagnazione. Soltanto un decennio dopo il picco del 1999, la quota dell'Occidente del prodotto globale si era contratta di un quarto: l'80 per cento del Prodotto mondiale lordo (PML) si era ridotto al 60 per cento. E sebbene i peggiori effetti immediati del crollo venissero prontamente contenuti in quanto governi e banche centrali inondarono le loro economie di denaro, da allora i paesi occidentali non sono riusciti a ripristinare i tassi di crescita precedenti, mentre quelli di parti decisive del mondo in via di sviluppo rimanevano alti. Di conseguenza la quota del PML di pertinenza dell'Occidente continua a declinare. E il declino non riguarda soltanto l'ambito economico. Il «marchio» dell'Occidente, un tempo prestigioso, ha perso il suo smalto, e spesso oggi propone leader improvvisati con un'immagine di indecisione profondamente segnata dalle divisioni in democrazie che sempre più sembrano destinare benefici in prevalenza a piccole minoranze, restituendo così la credibilità perduta a leadership autoritarie e a modelli monopartitici di direzione economica e politica.

Per molti commentatori occidentali, la diagnosi di Gibbon della caduta di Roma offre un'ovvia soluzione. L'Occidente sta perdendo la propria identità a causa della migrazione straniera, specialmente musulmana; deve rafforzare le sue difese e riaffermare i suoi valori culturali fondamentali, o sarà destinato a seguire lo stesso percorso verso la catastrofe. Ma la storia romana, come viene intrepretata nel XXI secolo, offre alcune lezioni sorprendentemente diverse per l'Occidente contemporaneo.

Roma, 399 d.C.

Sedici secoli prima della celebrazione delle possibilità illimitate da parte di Bill Clinton, nelle vesti di un novello Pangloss, un portavoce imperiale si rivolgeva al Senato di Roma in un discorso «sullo stato dell'Unione» per la metà occidentale dell'impero. Era il 1° gennaio 399: giorno d'insediamento dell'ultimo console in una ininterrotta linea di successione millenaria in cui ai funzionari più prestigiosi del mondo romano era garantita la vita eterna, dato che l'anno prendeva nome da loro. Il felice candidato all'immortalità di quell'anno era Flavio Manlio Teodoro, un giurista e filosofo con un passato di competenza amministrativa, e il discorso aveva un tono trionfale, annunciando l'alba di una nuova Età dell'oro. Dopo un rapido cenno adulatorio rivolto al suo pubblico – «È questa assemblea a darmi la misura dell'universo; qui vedo riunito tutto ciò che c'è di brillante al mondo» (un complimento che forse neppure il più audace *spin doctor* moderno tenterebbe di spacciare) – il portavoce, un poeta di nome Claudiano, passò al merito.

Il discorso aveva due temi. Il primo, lo splendore dell'amministrazione che aveva chiamato a quella carica un uomo come Teodoro. «Sotto un simile imperatore, chi potrebbe rifiutare? Fu mai retribuito più generosamente il merito? Ha mai prodotto una qualsiasi epoca un suo pari in fatto di prudenza o di coraggio? Perfino Bruto [la nemesi di Giulio Cesare] sarebbe stato felicissimo di vivere sotto un simile imperatore.» Secondo, la prosperità che ormai era stabilmente connaturata all'impero. «Il cammino della gloria si dischiude davanti al saggio; il merito è certo del proprio riconoscimento; l'operosità riceve le dovute ricompense.»

A prima vista, il discorso assomiglia al peggior tipo di ciarpame autocelebrativo preferito dai regimi al tramonto. L'imperatore d'Occidente era al momento Onorio, un ragazzo di quindici anni, mentre il detentore del potere reale era un generale chiamato Stilicone: un uomo forte, militare di recente origine barbarica, circondato da una cricca di funzionari che – letteralmente – non vedevano l'ora di affondare i loro pugnali nella sua schiena.[1] Soltanto dieci anni dopo, la città di Roma sarebbe stata saccheggiata da un gruppo di guerrieri barbari, immigrati di recente nel mondo romano, sotto il comando del loro re goto, Alarico. Il crollo finale del regno di Onorio avvenne nell'arco di un paio di generazioni. L'Occidente romano fu diviso tra una serie di monarchi barbari: i goti, discendenti di Alarico, governavano gran parte della Spagna e della Gallia meridionale; i re burgundi la Gallia sudorientale; i re franchi il

Nord; i vandali il Nordafrica, mentre una serie di bande di guerrieri anglosassoni imperversavano a nord della Manica. Console, imperatore, portavoce e Senato erano forse tutti coinvolti in una cerimonia collettiva di consapevole autoillusione? Gibbon certamente lo pensava. Secondo la sua versione dei fatti, nel 399 Roma si era da tempo lasciata alle spalle l'Età dell'oro economica, culturale e politica degli imperatori antonini del II secolo d.C., e la sua caduta era ormai imminente.

Le successive generazioni di storici svilupparono il modello di Gibbon finché, alla metà del XX secolo, era stato messo insieme un elenco degli aspetti salienti del declino che raccontava la più limpida delle storie. In primo luogo c'erano gli *agri deserti*, i «campi abbandonati», cui si fa riferimento nelle leggi imperiali del IV secolo. Gli agricoltori dell'impero costituivano fino all'85-90 per cento della popolazione totale. In quello che era un mondo in grandissima parte agricolo, i campi abbandonati erano una prova lampante del disastro economico, da far risalire a un regime fiscale punitivo, di cui ci si lamentava periodicamente negli scritti contemporanei. In secondo luogo, il decadimento dei costumi si intensificava. Nell'Età dell'oro di Gibbon le classi medie ed elevate romane avevano l'abitudine di registrare le benemerenze acquisite nell'arco della vita in iscrizioni su lapidi datate. Queste lapidi commemoravano le loro onorificenze, le cariche e i numerosi doni, spesso di edifici e altre strutture, elargiti alle loro comunità urbane locali (nell'antica Roma la virtù civica era molto apprezzata). Ma grazie a due monumentali progetti ottocenteschi di raccolta e pubblicazione di ogni iscrizione nota in latino e in greco, ben presto un punto saliente e di portata generale emerse con chiarezza. Alla metà del III secolo d.C., la frequenza annuale di tali iscrizioni si ridusse improvvisamente a circa un quinto della media precedente. Questo drastico crollo nell'autocelebrazione delle classi più ricche, come i campi abbandonati, sapeva fortemente di implosione economica. In terzo luogo, un attento esame dei papiri egizi e delle monete imperiali superstiti dello stesso periodo rafforzava la tesi. Nella seconda metà del III secolo, la popolazione dell'impero dovette fare i conti con una vampata di iperinflazione con tassi non molto diversi da quelli visti in Germania dopo la Prima guerra mondiale, alimentata da svalutazioni progressive del denaro d'argento. Svalutazione, iperinflazione, perdita di fiducia tra le classi superiori e campi incolti portavano a un'ovvia conclusione. Un secolo prima dell'inaugurazione di Teodoro, l'impero era già economicamente in rovina, e l'ascesa del cristianesimo non fece che aggiungere un quarto elemento al caos.

Gibbon aveva dato l'avvio anche a una linea di pensiero che vedeva nella nuova religione uno sviluppo profondamente negativo. Il clero e gli asceti cristiani, a suo giudizio, equivalevano a migliaia di «bocche oziose», la cui dipendenza indeboliva la vitalità economica dell'impero. Gibbon sosteneva anche che il messaggio d'amore del cristianesimo – «porgi l'altra guancia» – minava le virtù civiche marziali che avevano fatto grande l'Impero romano, e condannava senza riserve la tendenza dei capi cristiani – in netto contrasto con gli insegnamenti del loro fondatore – a litigare tra loro, il che insidiava l'antica unità di intenti imperiale. Di conseguenza, il consenso generale degli storici nella prima metà del XX secolo era che, nel 399, l'intero edificio romano fosse tenuto insieme, tutt'al più, da una burocrazia totalitaria ridondante posta a capo di un'economia a direzione centralizzata che riusciva a malapena a dar da mangiare ai soldati rimasti. La generazione di studiosi giunti a maturità dopo la Grande guerra non soltanto era stata testimone in prima persona del caos dell'iperinflazione della Repubblica di Weimar, ma aveva anche di fronte gli esempi totalitari della Russia bolscevica e della Germania nazista. Con così tante cose che andavano male nel tardo impero, tutto ciò che occorreva, secondo questa visione ampiamente condivisa del passato romano, era un pugno di invasori barbarici, e le malconce rovine dell'impero sarebbero miseramente crollate: come accadde puntualmente soltanto qualche decennio dopo che il consolato di Teodoro aveva inaugurato quella che si immaginava come una nuova Età dell'oro.

Questa narrazione di una decomposizione morale ed economica al centro dell'impero – che addossa la responsabilità della sua fine direttamente ai leader di Roma – ha avuto negli ultimi anni una risonanza che sarebbe difficile sopravvalutare. Popolare non soltanto tra alcuni autorevoli commentatori occidentali di impostazione conservatrice, la ritroviamo anche nelle scienze sociali, ove plasma influenti correnti del pensiero nel campo delle relazioni internazionali. Si è perfino periodicamente insinuata nella Casa Bianca. L'ex consigliere di Donald Trump, Steve Bannon, citava regolarmente Gibbon quando proponeva la tesi secondo cui l'abbandono, da parte dell'America, della sua eredità religiosa ne aveva provocato la decadenza; una visione del mondo, questa, che trovò esplicita menzione nel discorso inaugurale del nuovo presidente, il quale definì la condizione attuale del paese «il massacro americano». Anche Robert Kaplan, lo scrittore e pensatore che influenzò fortemente la politica estera di Bill Clinton, parlava in toni entusiastici delle idee che aveva tratto dalla lettura di Gibbon, citando in particolare l'influenza dello storico sulle proprie predizioni di un'«imminente anarchia» nella periferia globale. Analogamente, nel campo delle teorie economiche, Daron Acemoğlu e James Robinson hanno sostenuto, in *Perché le nazioni falliscono*, che le istituzioni liberali prepararono la scena per il trionfo economico del moderno Occidente, mentre quelle autocratiche rendevano inevitabile il declino. A sostegno della loro teoria, Acemoğlu e Robinson citavano Gibbon in tono di approvazione, affermando che Roma segnò il suo destino il giorno in cui cessò di essere una repubblica, dando inizio al lungo ma inesorabile viaggio verso il collasso imperiale.

Non c'è da sorprendersi che *Decadenza e caduta* di Gibbon abbia conseguito particolare popolarità in America. Fin dai tempi della nascita della repubblica, gli intellettuali americani si sono regolarmente considerati eredi di Roma, non di rado leggendone la storia imperiale come una guida al futuro del loro stesso paese. Un intero modello di azione è stato costruito sulla scorta di diversi elementi del paradigma di Gibbon del declino interno. A seconda della loro specifica impostazione, alcuni commentatori sono più interessati al fallimento economico e altri alla decadenza morale, ma l'accento cade costantemente sui fattori interni indicati come i principali responsabili del crollo imperiale. Quella di Gibbon è una grande narrazione, svolta in modo splendido, che viene ancora letta da molti soltanto per la sua prosa. Ha anche il pregio di essere vecchia. Come qualunque insegnante potrà dirvi, la prima idea che si afferma saldamente nella testa della maggior parte degli studenti è quasi impossibile da rimuovere. Eppure deve essere rimossa. Negli ultimi cinquant'anni un diverso passato romano è stato proposto all'attenzione.

Aratri e vasellame

Nel 1950 un archeologo francese fece una scoperta sorprendente in un angolo remoto della Siria settentrionale. Ciò in cui si imbatté erano i resti di alcuni prosperi contadini di tarda epoca romana, che si erano ampiamente distribuiti sulle colline calcaree della zona tra il IV e il VI secolo d.C. Il tipico materiale da costruzione in questa regione era la pietra locale, il che significava che le case dei contadini, diverse delle quali presentavano iscrizioni datate, erano ancora in piedi. In ogni altro luogo dell'impero, i contadini costruivano in legno o in mattoni di fango, che non lasciano tracce in superficie, quindi questa era una scoperta unica. Secondo l'ordinario modello gibboniano, simili contadini benestanti tardo-romani non avrebbero dovuto esserci. L'eccessiva tassazione non li stava forse estromettendo dal mercato, senza lasciare spazio per questo genere di prosperità rurale?

Nell'arco dello stesso decennio, gli storici della cultura stavano a loro volta cominciando a prendere in considerazione alcune possibilità che mettevano in discussione buona parte delle accuse di Gibbon contro la religione cristiana, alcune delle quali non erano mai state nulla più di una beffa maliziosa. Alla luce della storia complessiva del cristianesimo come religione organizzata a partire dall'imperatore Costantino – storia che include le crociate, l'inquisizione e le conversioni forzate –, l'idea che potesse aver minato l'imperialismo romano incoraggiando un eccessivo pacifismo era frutto del perverso senso dell'umorismo di Gibbon. Ricerche più approfondite ed equilibrate condotte fin dagli anni Cinquanta hanno anche chiarito che il cristianesimo, più che compromettere l'unità culturale classica, la condusse in nuove entusiasmanti direzioni. Il cristianesimo, così come si evolvette nel IV e nel V secolo, era una sintesi vigorosa e innovativa di elementi culturali biblici e classici, mentre i problemi posti dalle divisioni religiose sono stati fortemente esagerati. Nella pratica come nella teoria, gli imperatori ben presto assunsero la funzione di capi di una struttura ecclesiastica, il che contribuì notevolmente a favorire un nuovo tipo di unità culturale in tutta la vasta estensione del dominio imperiale. E neppure l'argomentazione delle «bocche oziose», in relazione al clero cristiano, appare molto convincente. Le posizioni autorevoli in seno alla comunità cristiana finirono per essere rapidamente occupate dai ceti superiori romani di provincia, che guidavano le funzioni della Chiesa e al tempo stesso mantenevano l'ordine sociale e politico esistente, senza essere, in senso generale, né più né meno «oziosi» di quanto fosse mai stata la classe possidente romana d'élite. In pratica, i membri del clero di tutti i livelli operavano perlopiù come funzionari dello stato, non come rappresentanti sovversivi di una cultura ostile.

Anche l'immagine del governo tardo-romano come stato autoritario inefficace è stata del pari messa in discussione a fronte di nuovi studi. Nel 1964 A.H.M. Jones, un ex funzionario statale britannico del tempo di guerra divenuto in seguito professore di storia antica, pubblicò un'analisi esaustiva del funzionamento dell'Impero romano, che aprì falle significative nella vecchia visione ortodossa. La burocrazia imperiale effettivamente si dilatò nel corso del IV secolo, ma, in termini comparativi, rimase di gran lunga troppo piccola per esercitare un rigido controllo sui vasti territori dell'impero, che lungo la sua diagonale maggiore si estendeva dalla Scozia all'Iraq. E in realtà non era il centro imperiale il motore del processo. Come vedremo nel capitolo II, erano le stesse élite provinciali a promuovere l'espansione della burocrazia pretendendo nuovi posti entro le sue strutture. Ciò che a prima vista sembra una dilatazione autoritaria del governo è in effetti un processo con cui le storiche classi dominanti dell'impero ricollocano in un nuovo contesto sociopolitico i loro tradizionali conflitti per il favore e l'influenza. Uno sviluppo non trascurabile, certo, ma non qualcosa che annunci in modo evidente la fine del sistema imperiale. Tutte queste erano revisioni sostanziali del vecchio paradigma della decadenza romana, ma rimanevano frammenti isolati di una storia alternativa. Negli anni Settanta, poi, una nuova scoperta rivoluzionaria riunì queste singole osservazioni in un fondamentale mutamento di paradigma, che offre una dimostrazione sorprendente dell'ubiquità della sbadataggine umana.

Il vasellame rotto ha due caratteristiche essenziali. Una volta rotto, è più o meno inutile. I singoli cocci invece durano. Di conseguenza il vasellame in frantumi tende a restare dove è stato abbandonato, fornendoci una mappa delle case e dei villaggi dei suoi originari proprietari molto tempo dopo che il legno è marcito e i mattoni di fango si sono ridotti in polvere. Ma erano necessari due progressi tecnici prima che la sbadataggine umana potesse svelare pienamente la macrostoria dello sviluppo economico romano. In primo luogo, i frantumi andavano datati. Da molto tempo si sapeva che le forme dei servizi da tavola romani («ceramiche fini» nel gergo degli archeologi) e delle giare da magazzino (*amphorae*) erano mutate nel tempo, ma i ricercatori dovevano rinvenirne abbastanza in siti che potessero essere datati con precisione per costruire un quadro cronologicamente esatto dei loro stili in evoluzione. In secondo luogo dovevano essere in grado di riconoscere quale densità di ceramiche in superficie indicasse che un antico insediamento era nascosto sotto il suolo. Negli anni Settanta entrambi i problemi erano stati risolti, grazie alla moderna tecnica di aratura, che penetra in profondità nel suolo quanto basta per portare in superficie materiali sepolti da molto tempo.

Ciò che seguì dimostra che l'archeologia reale è di solito molto meno divertente di Indiana Jones. Nel corso dei vent'anni successivi, piccoli eserciti di studenti e professori si allinearono in tutto l'ex territorio romano per raccogliere ogni frammento di vasellame che riuscivano a trovare nell'area di un metro quadrato che ciascuno di loro aveva di fronte a sé. Tutto veniva messo in sacchetti di plastica etichettati. La fila poi avanzava di un metro, e ripeteva l'operazione. Più e più volte, fino a coprire l'intera area oggetto di studio, o finché terminava la stagione. L'inverno veniva dedicato all'analisi dei contenuti dei sacchetti. Com'era prevedibile, i rilevamenti su vasta scala potevano richiedere un decennio o più per essere portati a termine. Ma gli archeologi sono estremamente pazienti, e gli anni Settanta e Ottanta ne videro moltissimi che, sacchetti alla mano, ispezionavano ampi tratti del mondo romano antico.

La procedura poteva essere noiosa, ma i risultati furono spettacolari. L'impero si estendeva su un territorio immenso. Sembra enorme sulla carta geografica, ma si deve poi tenere conto anche del fatto che nell'antichità tutto si muoveva circa venti volte meno velocemente – almeno a terra: a piedi, su carri, o a dorso di cavallo – rispetto a oggi. La misura reale di una distanza è data dal tempo che una persona effettiva impiega per percorrerla, non da una qualche unità di misura arbitraria, cosicché le diverse località dell'impero erano in pratica venti volte più lontane tra loro di quanto appaiano a noi oggi, e l'intero dominio romano era di fatto venti volte più vasto. Ma nonostante questa straordinaria estensione, quando i risultati furono raccolti, si scoprì che l'insediamento rurale più o meno dovunque nel mondo romano, e non soltanto sulle colline calcaree della Siria settentrionale, aveva conosciuto il massimo della prosperità nel IV secolo, proprio alla vigilia del crollo politico dell'impero. Britannia meridionale, Gallia settentrionale e meridionale, Nordafrica, Grecia, Turchia e Medio Oriente: contrariamente alle aspettative, tutti fornirono risultati analoghi. La densità della popolazione rurale, e di conseguenza la produzione agricola complessiva, avevano raggiunto i livelli massimi nel tardo periodo imperiale. E dal momento che quella di Roma era un'economia prevalentemente agricola, non c'è il minimo dubbio che il prodotto imperiale lordo – la produzione economica totale del mondo romano – abbia raggiunto nel IV secolo picchi più alti che in qualsiasi altro momento precedente dell'intera storia romana.

Si trattò di una scoperta sbalorditiva. Un insieme di dati in continua espansione – il numero dei frammenti di ceramica sepolti nella terra è incalcolabile – dimostrò che la traiettoria dello sviluppo macroeconomico romano fu esattamente il contrario di quanto la narrazione della decadenza aveva supposto. Di conseguenza, questo incontestabile quantitativo di nuove prove impose necessariamente una riconsiderazione della documentazione – molto più limitata – su cui si era basata la vecchia ortodossia.

A un'analisi più accurata, *agri deserti* risulta essere un'espressione tecnica per indicare una terra che non era abbastanza produttiva da valere una tassazione. Punto cruciale, essa non implicava affatto che i campi in questione fossero *mai* stati coltivati. La fine delle iscrizioni su pietra è un fenomeno storico più importante; ma di nuovo, a un'ulteriore considerazione, non è affatto una chiara indicazione di declino economico. Fino alla metà del III secolo, le élite locali passavano il tempo a competere per il dominio nelle loro città di residenza, dove avevano a disposizione considerevoli somme di competenza dei consigli cittadini (*curiae*). Le donazioni registrate in queste iscrizioni erano un'arma fondamentale in tale competizione politica. Ma alla metà del secolo Roma confiscò quei cespiti (per ragioni su cui torneremo), e la ragione stessa della competizione politica locale venne meno. La nuova partita da giocare in città per gli ambiziosi proprietari terrieri delle province divenne allora quella di entrare a far parte di una burocrazia imperiale in rapida espansione, che ora controllava i cordoni della borsa. Di conseguenza essi modificarono i loro stili di vita, mentre una costosa formazione giuridica – come nel caso di Teodoro, il nostro giurista divenuto console per il 399 – prendeva il posto della generosità a livello locale quale strumento per assicurarsi il successo. In questo nuovo ambiente, l'incentivo a registrare la propria generosità commissionando una costosa iscrizione era molto minore. Quanto alla tassazione, un punto essenziale da tenere presente è che l'indagine storica comparativa più approfondita non è mai riuscita a identificare una società umana che si considerasse troppo poco tassata. Le lagnanze dei contribuenti dell'epoca tardo-romana non sono particolarmente sostenute, e le nuove prove archeologiche della prosperità rurale dimostrano che non erano sottoposti a un regime fiscale troppo punitivo. L'iperinflazione era abbastanza reale, ma il suo effetto era più limitato di quanto si fosse pensato in precedenza. A gonfiarsi era il prezzo (assolutamente di ogni cosa) espresso in monete d'argento svalutate. Ma il grosso della ricchezza dei proprietari terrieri era costituito dalle riserve di metalli preziosi puri e, soprattutto, dalla loro terra e dai suoi prodotti. Nulla di tutto ciò risentiva delle progressive svalutazioni delle monete d'argento, cosicché, a differenza di quanto accadde nella Germania di Weimar, l'iperinflazione romana lasciò intatta la ricchezza reale delle élite proprietarie imperiali.

Ciò che un tempo era considerato una chiara prova di declino economico non lo è più. Gibbon si sbagliava. L'Impero romano non subì una lunga e lenta decadenza a cominciare dalla sua Età dell'oro del II secolo, fino a quando la sua caduta divenne inevitabile nel V.[2] La prosperità imperiale raggiunse il culmine proprio alla vigilia del crollo. Il portavoce del 399 d.C., anche se sicuramente serviva gli interessi sia propri sia del regime che gli dava lavoro, non era né stupido né in malafede quando proclamava una nuova Età dell'oro. Alla fine del IV secolo, la famosa *pax romana* – l'epoca di generale stabilità politica e legale creata dalle conquiste delle legioni – durava da quasi mezzo millennio, creando le condizioni macroeconomiche che consentirono alle province dell'impero di crescere in prosperità per secoli.

Questa rivoluzione nel modo di giudicare l'ultima fase dell'Impero romano ha delle implicazioni potenzialmente di vasta portata, se si considera il sorprendente contrasto tra lo smodato trionfalismo occidentale degli anni Novanta del secolo scorso e l'attuale atmosfera di catastrofico pessimismo. La prima lezione da trarre dalla storia romana è chiara: il collasso imperiale non deve necessariamente essere preceduto da un declino economico a lungo termine. L'Impero romano era lo stato più grande e più longevo che l'Eurasia occidentale avesse mai conosciuto, ma una sua metà si dissolse completamente nell'arco di qualche decennio dal suo apogeo economico. In sé stessa, questa potrebbe essere una coincidenza casuale. Ma un'analisi più approfondita delle storie di lungo termine di Roma e dell'Occidente moderno lascia pensare che si tratti di tutt'altro.

II

IMPERO E ARRICCHIMENTO

Nel 371 un poeta cristiano di nome Decimo Magno Ausonio originario di quella che oggi è Bordeaux dedicò 483 esametri latini a magnificare le glorie di un particolare angolo nordoccidentale del mondo romano: la valle della Mosella, nell'odierna Germania, il fiume che alla fine confluisce nel Reno. Ad attrarre il suo sguardo erano la ricchezza dei campi ben curati della regione e la cultura umana che si era sviluppata intorno a essi:

> tetti di ville che si ergono sulle rive declivi, colli verdeggianti di vigneti e a valle fra di essi il dolce fluire della Mosella con il suo sommesso mormorio.*

Appassionandosi a questo tema, Ausonio si soffermava a lungo sui molti pesci deliziosi del fiume (i cui nomi gli offrivano una grande opportunità di mostrare la sua padronanza del metro latino), sui semplici piaceri della vita contadina, e sulla grandiosità delle residenze signorili:

> Chi costeggiando queste innumerevoli visioni e tali bellezze potrebbe descrivere le fogge architettoniche delle singole proprietà?**

* Ausonio, *La Mosella e altre poesie*, trad. it. di Luca Canali, Milano, Mondadori, 2011, p. 5. (*N.d.T.*)
** Ivi, p. 23. (*N.d.T.*)

La *Mosella* appartiene a un vecchio genere letterario latino – l'ecfrasi o descrizione estesa –, ma ha un sottotesto radicale. La tesi del poeta è che la vita romana lungo le rive del fiume è così ricca che perfino il Tevere (usato come metafora della città di Roma) «non anteporrebbe le sue glorie alle tue». Alla fine Ausonio scherzosamente ritira la sua affermazione, per non essere accusato di *hybris*, ma il resto del poemetto non lascia nel lettore alcun dubbio su quali siano i reali sentimenti dell'autore. E anche se potremmo essere tentati di liquidarla come licenza poetica sfuggita di mano, in realtà la tesi di Ausonio si riallaccia alla più singolare anomalia che emerge dai cocci del vasellame infranto.

Ricchezza mobile

Sebbene l'impero nel suo complesso – compresa l'amata valle della Mosella di Ausonio, che era in effetti la sede di molte ricche ville tardo-romane – stesse godendo di un IV secolo aureo, le ricerche del vasellame in verità identificarono alcune specifiche aree di declino. Due di esse sono di facile spiegazione. Gli insediamenti rurali nella Britannia settentrionale e in Belgio non si erano mai ripresi da alcune massicce incursioni barbariche che avevano colpito queste aree nel III secolo (sulle quali torneremo più avanti). Molto più sconcertanti, però, sono i risultati provenienti dall'Italia, il cuore dell'impero. Nel corso del III secolo l'Italia venne risparmiata da analoghe afflizioni, ma gli insediamenti e la produzione agricola che avevano raggiunto il culmine nei due secoli a cavallo della nascita di Cristo cominciarono a declinare a livelli stabili ma significativamente più bassi nel III e nel IV secolo della nostra èra. Perché l'originario centro imperiale si contrasse, mentre le regioni più lontane prosperavano? La risposta comincia a profilarsi se si fa un salto in avanti di mille anni e si analizza l'origine di quello che alla fine sarebbe diventato il moderno Occidente.

All'inizio del II millennio d.C., l'Occidente era ben lontano dal costituire un centro economico propulsivo. Un pugno di vichinghi era riuscito ad attraversare l'Atlantico, ma all'epoca il Nordamerica non svolgeva alcun ruolo significativo nelle più vaste reti economiche e politiche europee. Le armate musulmane provenienti dal Nordafrica e dal Medio Oriente dominavano la Spagna meridionale e avevano ridotto Costantinopoli a un piccolo lacerto di stato superstite, privandola della maggior parte dei suoi possedimenti nell'entroterra del Mediterraneo meridionale e orientale. Schiacciato nel mezzo c'era un angolo del mondo povero, tecnologicamente arretrato, politicamente frammentato e flagellato dalle malattie. Eppure, nel corso del millennio successivo, questa piccola regione rustica sarebbe arrivata a dominare il pianeta.

Che cosa abbia dato inizio a una svolta così spettacolare è, ancora oggi, oggetto di accesa discussione. Fattori politici ebbero qualcosa a che fare con questa evoluzione. Gli stati europei non erano né troppo potenti né troppo deboli, il che permetteva agli imprenditori di godere sia della libertà sia della stabilità di cui avevano bisogno per avviare le loro attività rischiose. Anche l'ambiente naturale era d'aiuto. L'Europa disponeva di un gran numero di specie animali domesticabili (una prima forma di capitale), di abbondanti vie d'acqua per la navigazione a buon mercato, e di una varietà di paesaggi che producevano una vasta gamma di colture: tutte cose che in generale incoraggiavano e facilitavano gli scambi. Anche la cultura svolse un ruolo importante. Agli occhi di alcuni analisti, l'insistenza del cristianesimo occidentale sul matrimonio consensuale produceva famiglie nucleari, che erano incentivate a risparmiare, mentre la sua morale universalista e l'economia basata sulla fiducia facilitavano i contratti con gli stranieri, favorendo materialmente il commercio sulla lunga distanza. Per altri, la comparsa di un concetto giuridico pienamente sviluppato di proprietà privata, prodotto delle università medievali europee (sulla base del precedente romano), ebbe un ruolo centrale nel processo.

Ma non c'è grande disaccordo su quanto accadde in seguito. I progressi tecnologici del Medioevo, quali l'adozione di aratri sufficientemente pesanti per ricavare il meglio dai suoli argillosi e di più sofisticati sistemi di rotazione delle colture, generarono eccedenze agricole più abbondanti. Ciò portò a un aumento dei consumi di lusso da parte delle élite europee, mentre la loro predilezione per lo zucchero, le spezie e i vestiti di seta dell'Oriente riceveva ulteriore impulso dall'esperienza delle crociate. In cambio, l'economia europea in via di sviluppo cominciò a produrre tessuti di lana più raffinati, che trovarono immediatamente un mercato in Oriente. Questo crescente scambio sulla lunga distanza sosteneva a sua volta una rete sempre più fitta di mercati e fiere.

La prima e più significativa di queste reti si trovava nell'Italia settentrionale e centrale, dove la geografia – un accesso particolarmente agevole al Mediterraneo per il commercio sulla lunga distanza – e la relativa debolezza delle élite proprietarie terriere concorrevano insieme a rendere i mercanti abbastanza ricchi da indirizzare le scelte politiche delle loro comunità locali. Le città-stato che ne nascevano costruivano l'infrastruttura sociale, politica e giuridica che favoriva l'ulteriore espansione del commercio: credito e mercati finanziari, meccanismi per imporre il rispetto dei contratti, rotte marittime sicure e accordi sul commercio estero. Trovandosi al crocevia tra l'Europa e l'Oriente, i mercanti italiani controllavano gran parte dello scambio tra le esportazioni europee (specialmente di tessuti e grano) e le merci orientali. Dall'XI secolo in avanti le città-stato italiane, con Firenze, Venezia e Genova in testa, giunsero a dominare il commercio europeo.

Ma la prosperità di questo primo nucleo italiano ben presto indusse lo sviluppo anche altrove. Sebbene fossero le città-stato italiane a vendere i tessuti all'Oriente, i migliori prodotti venivano dai Paesi Bassi, che a loro volta importavano gran parte della loro lana grezza dall'Inghilterra. Grazie alle reti commerciali italiane, quindi, le economie dell'Europa settentrionale cominciarono a espandersi e a diversificarsi. Alcune città del Nord, in particolare nelle Fiandre, dove le manifatture tessili erano apparse fin dal XII e dal XIII secolo, cominciarono dalla fine del Quattrocento e poi nel Cinquecento a rivaleggiare con le loro controparti italiane come centri di scambio e commercio. Più in generale, gli enormi profitti realizzati dalle città-stato italiane con il commercio in Oriente spinsero allora altri governi europei a entrare in azione. Invece di contrastare il dominio italiano sul Mediterraneo orientale, gli stati atlantici scelsero di spingersi a ovest per trovare una rotta marittima alternativa verso l'Asia. Con portoghesi e spagnoli alla testa, gli europei migliorarono le loro tecnologie di navigazione e di costruzione delle navi al punto di essere in grado di affrontare gli oceani. Imbattutisi accidentalmente nelle Americhe sulla via dell'Asia, non immaginavano quanto queste nuove (per loro) terre avrebbero trasformato l'Europa stessa, e per diversi decenni ancora il commercio europeo rimase centrato sull'Oriente, via Mediterraneo. Sul lungo termine, però, mentre l'oro e l'argento americani cominciavano a gonfiare le tesorerie di Spagna e Portogallo, e i mercanti dell'Europa del Nord aprivano nuove rotte marittime verso l'Est, il centro motore del capitalismo europeo si spostò dall'Italia verso i margini esterni del continente.

Gonfi di ricchezze provenienti dalle Americhe, però, gli imperi spagnolo e portoghese tendevano a importare beni di lusso prodotti nelle regioni industriali dell'Europa, e a depositare i loro surplus altrove (specialmente in Germania), piuttosto che a trasformare le loro stesse economie. Ciò produsse un'ulteriore espansione nel Nord del Vecchio continente. In particolare, la domanda di prodotti tessili inglesi alla fine generò una spettacolare rivoluzione economica al di là della Manica, non ultimo perché il Parlamento inglese aveva il potere di modificare le leggi relative alla proprietà terriera. I proprietari, con un occhio rivolto alle nuove opportunità, premevano per poter recintare le loro terre, sfrattandone i contadini in modo da allevare pecore per la nascente industria tessile. Mentre i proprietari terrieri si arricchivano, creando nuove fonti di capitale per l'investimento, le *enclosures* produssero anche una generazione di braccianti senza terra alla disperata ricerca di lavoro, offrendo al crescente settore industriale una fonte abbondante di manodopera a basso costo in anticipo rispetto ai rivali della Gran Bretagna. Verso la fine del XVIII secolo le officine artigiane si erano diffuse in tutta la campagna britannica per trarre vantaggio da questo mutato ambiente. Allo stesso tempo, olandesi e britannici, insieme ai francesi, avevano raggiunto – e superato – gli stati iberici nella costruzione di flotte in grado di accaparrarsi risorse oltremare.

Con la crescita del suo settore manifatturiero che generava una fame insaziabile di materie prime, la Gran Bretagna iniziò a sfruttare aggressivamente i propri possedimenti coloniali, i più importanti dei quali ben presto finirono per essere quelli nordamericani. Anche se alla fine si separarono politicamente dalla Gran Bretagna, gli Stati Uniti continuarono a svolgere un ruolo chiave sia come fornitori sia come mercato per i prodotti industriali britannici, tanto che, per la crescente industria tessile del Regno Unito, il loro cotone finì per diventare ancora più importane di quello dell'India. Nel XIX secolo questa industria si era sostanzialmente trasferita nelle città inglesi, dove l'abbondante manodopera consentiva ai proprietari delle aziende di impiantare fabbriche molto più grandi, con eserciti di operai che facevano funzionare i nuovi macchinari che all'epoca venivano inventati a un ritmo estremamente rapido. Poi, nel corso del secolo, gli Stati Uniti si unirono alle altre rivali europee della Gran Bretagna – Francia e Germania soprattutto – nell'uso della politica governativa per alimentare lo sviluppo delle proprie industrie manifatturiere, invece di lasciarlo al libero mercato come avevano fatto i britannici.

Verso la fine del secolo la maggioranza della popolazione del Regno Unito viveva già nelle città, mentre in Francia la quota era soltanto di un quarto circa. A quel punto, però, la Gran Bretagna era già sul punto di essere scavalcata dai suoi ex sudditi americani che, avendo espropriato gli occupanti indigeni della terra, stavano dischiudendo alla colonizzazione enormi territori all'Ovest. Perciò gli Stati Uniti accolsero una massiccia immigrazione per tutto il XIX e per la prima parte del XX secolo, raddoppiando la loro popolazione ogni pochi anni: un tasso di espansione che nessun rivale europeo poteva uguagliare. Questo non solo portò a un enorme incremento della produzione, ma generò anche nuovi e imponenti mercati per il crescente settore industriale del paese. Di fronte allo sfruttamento su vasta scala e alle proteste che ne conseguivano, i salari alla fine cominciarono ad aumentare. Ma sebbene l'America conoscesse lo stesso tipo di rivolte e di agitazioni di matrice socialista che all'epoca si diffondevano in tutte le città europee, il paese aveva un'importante valvola di sfogo che teneva a freno i costi del lavoro. Gli scontenti potevano tentare la sorte all'Ovest, e si potevano sempre trovare nuovi lavoratori per sostituirli ai cancelli di Ellis Island, il punto di ingresso negli Stati Uniti. Per effetto di questa crescita inarrestabile, gli Stati Uniti alla fine del XIX secolo avevano superato la Gran Bretagna nella produzione economica totale, entrando nella loro Età dell'oro.

Il millennio di evoluzione economica nell'emisfero occidentale fu quindi caratterizzato da periodici spostamenti dell'epicentro geografico della massima prosperità. Lo sviluppo del capitalismo alimentò un'incessante domanda di nuovi mercati, nuovi prodotti e nuove fonti di approvvigionamento, che modificò continuamente la sua ubicazione allontanandolo dal suo cuore originario nell'Italia settentrionale. Una semplice logica – basata sulla disponibilità di forza lavoro e materie prime – determinò, durante l'epoca tardo-medievale e moderna, sorprendenti livelli globali di crescita economica in tutto l'Occidente. Prima l'Italia settentrionale, poi la Spagna e il Portogallo, l'Olanda, la Francia e la Gran Bretagna in successione, e infine gli Stati Uniti assursero al dominio economico via via che nuove opportunità interagivano con la comparsa di nuove fonti di materie prime e di forza lavoro, consentendo a ciascun paese di dominare di volta in volta preziosi flussi di esportazione. A ogni transizione, anche se il miglioramento dei trasporti facilitava la comparsa di nuove reti commerciali, il grosso della produzione locale veniva consumato a livello locale o al massimo regionale.[1] Ciononostante, la variabile cruciale che realmente spostava l'epicentro della prosperità era la ricchezza in eccedenza creata nelle differenti epoche dal commercio di esportazione.

Se torniamo a Roma, l'ascesa dell'Occidente moderno contribuisce a spiegare il declino a prima vista misterioso del cuore inizialmente italiano dell'impero. Anche qui una semplice logica economica determinò uno spostamento del dominio economico da un centro imperiale originario. In questo caso, la produzione industriale non ebbe quasi alcun ruolo nella modifica della distribuzione della prosperità entro i confini dell'impero, la cui economia rimaneva di natura prevalentemente agricola. In Italia, nei secoli a cavallo della nascita di Cristo, le industrie del vino e dell'olio d'oliva – e, in una certa misura, anche del vasellame, e forse dei cereali, sebbene quest'ultima sia archeologicamente invisibile – esportavano i loro prodotti in grandi quantità, in particolare nei territori conquistati di recente. Nel corso del tempo, le risorse agricole del resto dell'impero, nelle condizioni macroeconomiche create dalla *pax romana*, si svilupparono molto più ampiamente ed eclissarono del tutto questo iniziale dominio italiano, anche perché la tecnologia del trasporto era assai limitata e costosa. Con i carri che si muovevano al massimo alla velocità di quaranta chilometri al giorno, potevano volerci settimane per spostare via terra le merci tra le varie province dell'impero: niente a che vedere con i treni e le navi che avrebbero innervato gli imperi moderni. Non soltanto; il prezzo di un carro di grano, secondo quanto si afferma nell'editto sui prezzi massimi di Diocleziano del 300 d.C., raddoppiava ogni ottanta chilometri percorsi: un aumento determinato dalla necessità sia di dar da mangiare ai buoi sia di pagare una pletora di dazi interni. In questo contesto, a mano a mano che le terre conquistate davano inizio a una propria produzione intensiva, prodotti locali e quindi intrinsecamente meno cari erano destinati a mettere fuori causa le importazioni dall'Italia.

Nel tardo periodo imperiale il commercio sulla lunga distanza riguardava di solito quei beni che non potevano fisicamente essere prodotti a livello locale (vino e olio d'oliva, per esempio, nelle regioni non mediterranee), oppure che venivano venduti a un prezzo particolarmente remunerativo (rari tipi di marmo o vini costosi, invece di comuni varietà locali). L'altra eccezione era rappresentata dalle merci che potevano viaggiare su strutture di trasporto che lo stato sovvenzionava per i propri scopi, in primo luogo per approvvigionare le grandi capitali imperiali o per le forniture militari (sembra che gli armatori che trasportavano granaglie, vino e olio attraverso il Mediterraneo al servizio dello stato facessero affari portando di nascosto altre merci nelle stive). Ma questi interventi erano limitati, e la logica dei costi di trasporto aveva da tempo promosso lo sviluppo delle province romane a discapito del vecchio nucleo territoriale italiano. La stessa debordante città di Roma era diventata una massiccia importatrice di vino, olio e altri generi di prima necessità dalla Spagna, dal Nordafrica e dal Mediterraneo in generale.[2]

Provinciali

Dietro questi mutamenti macroeconomici c'erano milioni di storie individuali, che contribuivano a promuoverli. Quella di Ausonio ne è un esempio. Non era personalmente della valle della Mosella, e una nota sommessa di orgoglio gallico locale traspare dall'inizio del suo poemetto:

> Allora tali dolci visioni [della valle della Mosella] mi indussero a ricordare la bellezza della mia patria e il paesaggio della splendida Bordeaux.*

Delle lontane origini della sua famiglia non ci è giunta notizia, ma i suoi avi appartenevano alla tribù dei biturigi vivisci che in passato erano stati sottomessi da Giulio Cesare, quattro secoli prima che Ausonio arrivasse a Treviri nella valle della Mosella. Un tempo forte collinare celtico di Burdigala, Bordeaux era stata rifondata dopo la conqui-

* *Ibid.* (N.d.T.)

sta come città romana con un consiglio (*curia*) tratto dalla nobiltà tribale locale, che alla fine aveva acquisito tutti i necessari segni esteriori della cultura imperiale – imparare il latino, costruire ville, terme e templi – e utilizzava le cariche locali come via d'accesso alla cittadinanza romana. Il padre di Ausonio proveniva da questo ambiente ed era diventato un autorevole docente nella nuova capitale imperiale d'Oriente, Costantinopoli. Ausonio stesso aveva fatto studi superiori divenendo precettore del figlio dell'imperatore regnante, Valentiniano I, e, al momento della sua successione al trono, ottenne alcune delle più alte cariche di stato, tra cui, alla fine, anche il consolato.

Questa storia di successo familiare, nell'arco di due generazioni, prese le mosse da una base di solida prosperità agricola in continuo sviluppo. La regione di Bordeaux era già nel periodo romano un centro di produzione vinicola, che incrementava la propria ricchezza grazie alla stabilità politica ed economica assicurata dalla *pax romana*. La famiglia combinava tutto ciò con un forte impegno sui requisiti culturali per la partecipazione alla vita pubblica, e con una grande attenzione alla miglior via per conseguire una prosperità ancora maggiore. Nel IV secolo, far parte del proprio consiglio cittadino non era più un'opzione così attraente perché, come abbiamo visto nel capitolo I, l'impero aveva confiscato le entrate che le *curiae* controllavano in passato. Molto meglio, come fecero il padre di Ausonio e i suoi figli, impegnarsi nel sistema imperiale in espansione cui ora facevano capo tutto il denaro e l'influenza politica. Molti degli appartenenti al ceto sociale di Ausonio chiedevano e ottenevano posti a vari livelli nella burocrazia sempre più numerosa, altri diventavano avvocati come Teodoro, mentre gli Ausoni seguirono un percorso consolidato al successo sociale tramite l'eccellenza culturale. Quanto all'élite romana, la sua peculiare cultura comune – basata sullo studio intensivo della lingua e della letteratura – era ciò che ne faceva una società straordinariamente civile e razionale, e quindi l'istruzione era una carta importante nel gioco dell'autopromozione.[3] In ogni caso, però, i profitti ottenuti grazie all'impegno nelle strutture dell'impero venivano reinvestiti ampliando il patrimonio di proprietà fondiarie nella terra d'origine. La carriera accademico-politica di Ausonio a corte non era un'eccezione. In fin dei conti, la terra rappresentava l'unico investimento solido nell'economia quasi esclusivamente agricola di Roma.

Un'analoga serie di storie di successo individuale favorì l'evoluzione del moderno Impero occidentale. Come quelle degli antichi Ausoni, le origini della grande famiglia dei Vanderbilt sono oscure. Nel XVII secolo, quando le compagnie commerciali europee stavano avidamente acquisendo colonie oltremare, nei Paesi Bassi fu istituita la Compagnia olandese delle Indie Occidentali. Una delle sue prime rischiose iniziative imprenditoriali fu la fondazione di una stazione commerciale sulla punta meridionale dell'isola di Manhattan, che divenne la capitale Nieuw Amsterdam. Per approvvigionare il forte furono importati contadini dall'Olanda, i quali ben presto scoprirono che il suolo era più fertile sulla lunga isola a est di Manhattan: Breuckelen (in seguito anglicizzato in Brooklyn).

Uno di questi agricoltori era Jan Aertsen («figlio di Aert»). Siccome veniva dal villaggio di Bilt presso Utrecht, era chiamato anche Vanderbilt («da Bilt»). Tredicenne senza un soldo al momento della sua emigrazione nel 1640, fu assegnato in servitù a un colono olandese per tre anni, dopodiché mise in piedi una propria fattoria. Dal 1661 il suo nome comincia a comparire in vari documenti scritti, e alla fine del secolo la famiglia era affermata a Long Island. A quell'epoca i britannici si erano impadroniti della colonia e l'avevano ribattezzata New York, ma i Vanderbilt, come molti coloni olandesi, si adattarono senza difficoltà al nuovo regime. Impararono l'inglese per interagire con il nuovo governo e un numero crescente di coloni britannici, ma per il resto la vita continuò più o meno come prima. Verso la fine del XVIII secolo, la maggior parte delle famiglie olandesi conduceva ancora il grosso dei propri affari e dei rapporti sociali nella lingua natale.

Flessibili e pragmatici, si adattarono prontamente a un altro nuovo regime quando gli Stati Uniti si dichiararono indipendenti nel 1776. A mano a mano che la nuova nazione prosperava, il commercio si espandeva, e il primo Cornelius Vanderbilt, pro-pro-pronipote di Jan, che aveva dodici anni nel 1776, cominciò a integrare il suo reddito agricolo portando con una piccola imbarcazione i prodotti in città. Il suo omonimo figlio, nato nel 1794, alla fine abbandonò del tutto l'agricoltura e, con un po' del denaro di famiglia, si comprò una barca leggermente più grande per traghettare merci e persone tra la città e l'isola. Tale fu il successo di quest'impresa che in breve acquistò altre navi, e, quando nel 1812 scoppiò nuovamente la guerra tra Gran Bretagna e Stati Uniti, ne furono necessarie altre ancora per rifornire i porti costieri dell'America. Estesa poi l'attività alla navigazione a vapore, e in seguito alle rotte transatlantiche, il «Commodoro» infine la diversificò entrando, alla metà del XIX secolo, nel settore delle ferrovie, e arricchendosi enormemente quando il governo federale aprì i territori dell'Ovest alla colonizzazione europea. Mentre le praterie riversavano montagne di granaglie sui mercati del Vecchio continente, e milioni di europei affluivano nel paese per coltivarlo, gli imperi marittimo e ferroviario dei Vanderbilt conobbero una crescita esplosiva.

Sotto diversi e importanti aspetti le due storie familiari hanno poche somiglianze tra loro. Ausonio riuscì a salire la scala sociale in un periodo di relativa stasi economica e tecnologica. Gli andamenti della produttività nel sistema romano cambiavano di poco da un anno al successivo, e quindi le opportunità di promozione erano limitate: costruire una fortuna iniziale con il vino e altri prodotti agricoli, usarla per acquisire il capitale culturale necessario per prosperare ulteriormente entro le reti sociali e politiche dell'impero, poi reinvestire i profitti in un più vasto patrimonio di proprietà fondiarie. I Vanderbilt, viceversa, i due Cornelii in particolare, vissero in un'epoca caratterizzata da una tumultuosa rivoluzione tecnologica ed economica, cosicché la famiglia poté sfruttare possibilità del tutto nuove via via che il commercio e la produzione cambiavano intorno a loro. Ma sotto un altro aspetto, più fondamentale, le due storie ripetono effettivamente lo stesso schema basilare: ambiziosi clan di provincia colgono al volo le opportunità dell'impero per trasformare le traiettorie delle loro storie familiari.

Nei loro differenti contesti, anche se non sempre con il medesimo straordinario successo, le storie dei Vanderbilt e degli Ausoni furono replicate un milione di volte nel corso dello svolgimento delle loro rispettive storie imperiali. Dalla Britannia alla Siria, migliaia di membri delle (di solito) preesistenti élite locali preromane migliorarono la propria posizione fino a diventare rispettabili e prosperi cittadini dell'impero, mentre alla vitale miscela della società provinciale si aggiungeva una quota ingente di veterani legionari romani e di piccoli amministratori provenienti dall'Italia. Era, naturalmente, la crescente prosperità di queste famiglie ad alimentare l'ascesa economica di quelle che in origine erano aree periferiche, e la relativa eclissi del vecchio nucleo italiano dell'impero. I confini dell'Impero romano si formavano lì dove arrivavano le legioni, e all'interno di quelle frontiere un mix di immigrati e di nativi romanizzati costruiva la ricchezza agricola che sosteneva l'edificio imperiale.

Il moderno Impero occidentale, analogamente, fu creato dai conquistatori e dai coloni che sfruttavano le nuove opportunità dischiuse da terra, forza lavoro e risorse naturali di recente acquisizione. La scala della migrazione moderna era incomparabilmente più vasta rispetto a qualunque cosa generata dai meccanismi dell'imperialismo romano. Al culmine, tra il XIX e il XX secolo, circa cinquantacinque milioni di europei partirono per il «Nuovo Mondo». In questo processo convergevano una spinta e una forza attrattiva. L'attrazione veniva dalle terre aperte alla colonizzazione dagli imperi europei, la spinta dall'interno dell'Europa stessa, dove un'impennata nella disponibilità di forza lavoro combinata con il mutamento tecnologico stava espellendo la popolazione dalla terra.

I progressi della tecnologia medica, in particolare la diffusione delle vaccinazioni e i miglioramenti nell'igiene pubblica, portarono a sbalorditivi incrementi della speranza di vita in Occidente, specialmente dal 1870 circa, quando i livelli di mortalità infantile cominciarono a ridursi drasticamente. In Germania i tassi di mortalità infantile erano stabili al 50 per cento alla metà del XIX secolo, per poi scendere rapidamente nei decenni successivi, così come accadde in altri paesi europei, da un punto di partenza leggermente inferiore ma pur sempre terrificante del 30 per cento circa. Ma mentre aumentava il numero dei bambini che sopravvivevano, le dimensioni medie delle famiglie impiegarono parecchi decenni a adeguarsi verso il basso. Di conseguenza, una fase straordinaria della storia demografica vide gli europei aumentare massicciamente come frazione della popolazione totale del globo. Da una quota del 15 per cento circa della popolazione – più o meno il livello cui da allora sono tornati –, al tempo della Prima guerra mondiale gli europei erano arrivati a essere un quarto degli abitanti del pianeta. Nello stesso periodo, il miglioramento della tecnologia agricola, che permetteva una coltivazione più intensiva della terra, riduceva in modo drastico anche la necessità di forza lavoro. Inoltre, dove le strutture agricole tradizionali persistevano accanto alle nuove tenute più grandi, come nell'Europa meridionale, le dimensioni medie delle fattorie si riducevano costantemente, dato che la terra veniva ulteriormente suddivisa a ogni successiva generazione. Il risultato era che anche quanti rimanevano sulla terra non ne traevano a sufficienza per vivere. Per molti l'attrazione delle colonie diventava irresistibile.

In quelle che al momento erano economie relativamente stagnanti, i governi ormai indipendenti di paesi come gli Stati Uniti e il Canada, ansiosi di accelerare lo sviluppo, non limitavano i propri appelli ai vecchi territori centrali dell'impero, ma li estendevano invece a qualunque regione europea dotata di abbondanti disponibilità di forza lavoro, specialmente nell'Europa meridionale e orientale. Alcuni di questi immigrati, come gli Oppenheimer, i Carnegie, i

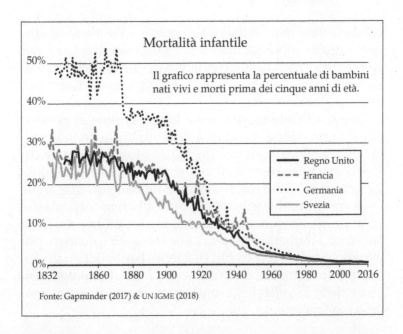

Mortalità infantile

50%

40%

30%

20%

10%

0%

1832 1860 1880 1900 1920 1940 1960 1980 2000 2016

Il grafico rappresenta la percentuale di bambini nati vivi e morti prima dei cinque anni di età.

Regno Unito
Francia
Germania
Svezia

Fonte: Gapminder (2017) & UN IGME (2018)

Rockefeller e i Bronfman seguirono le orme dei Vanderbilt, iniziando come coloni poveri per arrivare a costruire enormi patrimoni. L'effetto complessivo fu che, verso la fine del XIX secolo, le famiglie più ricche del mondo non erano più i sovrani europei o gli industriali britannici, ma nuovi magnati che avevano fatto fortuna al di là dell'Atlantico. E come gli Ausoni nell'antichità, le più celebri di queste nuove famiglie spesso consolidavano la loro ascesa tornando in trionfo nel vecchio centro imperiale, contraendo matrimoni con membri delle famiglie nobili europee (come fecero i Vanderbilt) per acquisire la distinzione di classe come coronamento della loro ricchezza. Dato che le aristocrazie europee, la cui ricchezza si basava in larga misura sull'agricoltura, all'epoca stavano spesso affrontando un declino economico almeno relativo, accordi di questo tipo convenivano a entrambe le parti.

La maggioranza dei migranti non otteneva certo ricchezza e prestigio sociale in una misura neppure lontanamente simile, e molti altri svolgevano un ruolo del tutto involontario nel processo. Tra il XVI e il XIX secolo il traffico di schiavi attraverso l'Atlantico costrinse un numero di africani stimato intorno ai dodici milioni a salire sulle navi per essere trasportati nelle piantagioni delle Americhe a coltivare zucchero e cotone. Un numero imprecisato di essi moriva ben prima di arrivarci.

Questo orribile movimento a lungo termine di persone alterò la traiettoria economica delle Americhe in modi destinati a trasformare il mondo. Ma, che fossero migrate volontariamente o fossero state costrette a farlo, furono queste grandi masse di esseri umani in movimento a far sì che le ex frange periferiche dell'impero alla fine sorpassassero in prosperità le regioni del suo nucleo originario. Queste storie familiari individuali aiutano a comprendere più a fondo perché gli epicentri della prosperità imperiale dovessero spostarsi nel corso dei secoli, e un'ulteriore dimensione della *Mosella* di Ausonio mette in piena luce il processo sottostante.

Due imperi occidentali

È decisamente insolito avere una qualche testimonianza dell'accoglienza immediata di un'antica opera letteraria, ma la *Mosella* fornisce un'affascinante eccezione. Provocò infatti un'istantanea lettera di rimostranze da parte di un senatore romano di sangue blu che si chiamava Quinto Aurelio Simmaco. Il problema era che Ausonio non gliene aveva mandato una copia. Simmaco diceva di ammirare l'opera, pur prendendosi un po' gioco – bonariamente o forse no – di tutti i pesci che Ausonio menzionava. («Eppure, sebbene mi sia spesso seduto alla tua tavola e mi sia meravigliato della maggior parte delle altre vivande ... non vi ho mai visto questi pesci che descrivi.») Ma il senatore era stato costretto a sbirciare la copia di qualcun altro durante le sue visite in giro per Roma. Se si scava un po' più a fondo, appare chiaro che la sua omissione dalla lista di distribuzione non era stata una svista.

Due anni prima, Simmaco aveva guidato un'ambasceria senatoriale nella città di Treviri, dove allora aveva sede la corte occidentale di Valentiniano I. Era a Treviri che Simmaco aveva avuto occasione di conoscere Ausonio e di pranzare con lui, magari senza essere stato troppo convinto dalle sue portate di pesce. Durante quest'ambasciata alla corte di Valentiniano aveva tenuto diversi discorsi, che sopravvivono soltanto in frammenti. Ciononostante, uno di essi è altamente rivelatore. Il punto di vista di Simmaco sulla frontiera nordoccidentale era singolarmente diverso da quello della *Mosella* di Ausonio. Simmaco non concentrava l'attenzione sul carattere profondamente romano della regione, bensì sul ruolo eroico svolto dal «Reno semibarbarico» nella protezione del Tevere (leggi «Roma»): il centro della civiltà imperiale. Il che fa emergere d'improvviso il reale significato del poema di Ausonio: la *Mosella* era un'orgogliosa risposta dei provinciali gallici all'atteggiamento condiscendente dei grandi di Roma. Com'è facile immaginare, alla corte di Treviri la descrizione di Ausonio fu accolta infinitamente meglio dei discorsi del senatore. Simmaco fu rimandato a casa dall'ambasceria con il titolo tutt'altro che esaltante di «conte di terza classe» (umiliante proprio come sembra, e con la beffa ulteriore che, essendo un atto di tradimento non usare un titolo imperiale una volta che era stato assegnato, Simmaco era costretto anche a pubblicizzare il suo scarso successo per sempre), mentre Ausonio da istitutore imperiale fu promosso ad alte cariche di stato alla metà degli anni Settanta del IV secolo, e infine allo stesso consolato nel 379. Questo divertente ma teso confronto tra Ausonio e Simmaco ci suggerisce un'altra idea chiave generata da un confronto tra Roma e l'Occidente moderno: la questione dello sviluppo politico.

L'Impero romano sorse, analogamente agli altri imperi, come stato di conquista. La maggior parte delle province assoggettate in punta di spada al formale dominio di Roma furono testimoni non soltanto delle brutalità iniziali dell'asservimento, ma almeno di una grande rivolta in seguito. La tumultuosa distruzione di Colchester, St Albans e Londra e di parte della IX legione a opera di Boudicca (Boadicea) nel 60 d.C. non fu un evento inusuale. Ma queste rivolte di solito si verificavano nei primi decenni dopo la conquista romana, mentre, con il trascorrere del tempo, la condizione politica delle province e delle loro élite cambiava radicalmente. Il dominio economico delle ex province conquistate era accompagnato – come illustra il battibecco tra Ausonio e Simmaco – da una fondamentale trasformazione politica. Dal II secolo d.C. in avanti, l'impero rimase un'entità nominalmente unitaria governata da Roma, ma, dati la sua enorme estensione e il carattere rudimentale delle comunicazioni, il controllo della capitale sulle regioni periferiche divenne sempre più limitato. Nel periodo tardo-imperiale a tenere insieme l'edificio statale non era un centro dominante, bensì qualcosa di molto più potente: le comuni strutture finanziarie e giuridiche, basate su valori culturali profondamente radicati e condivisi da tutta una classe dirigente romana dai contorni ormai molto più ampi, formata da proprietari terrieri di provincia.

Intorno al 399, dopo quattro secoli di dominio, i popoli in passato conquistati da Roma si erano da tempo adattati al mondo nuovo originariamente plasmato dalle legioni. Se si voleva conseguire un qualche risultato all'interno di questa colossale struttura, in primo luogo era necessario acquisire la cittadinanza romana e aderire al culto imperiale, cose che richiedevano entrambe alle élite provinciali di adeguarsi all'alta cultura imperiale. Nel IV secolo, come ci mostra la carriera di Ausonio, i percorsi più vantaggiosi erano quelli nell'amministrazione imperiale; di conseguenza l'enorme espansione della burocrazia fu il prodotto della domanda che arrivava dalle province, e non il frutto di un progetto burocratico totalitario. Ovunque, per avere successo, le élite provinciali dovevano accogliere senza riserve (e a caro prezzo) i modelli culturali greco-romani dell'impero, con il risultato che, nel IV secolo, gli abitanti delle province che si estendevano dal Vallo di Adriano all'Eufrate avevano convintamente adottato il latino, le città, le toghe e la filosofia di vita dei loro conquistatori. Anche il cristianesimo si diffuse grazie al suo assorbimento nella cultura della classe di governo, e, come chiarisce il battibecco tra

Ausonio e Simmaco, un funzionario di provincia originario di Bordeaux poteva ora servirsi della letteratura latina per impartire a un senatore di sangue blu una lezione severa, anche se cortese.

L'originario stato di conquista governato da Roma si era evoluto in una vasta confederazione dell'Eurasia occidentale, con una comune struttura fiscale utilizzata per mantenere l'esercito. Il quale, a sua volta, proteggeva l'edificio imperiale, una struttura giuridica che definiva e preservava la prosperità delle élite provinciali e il senso condiviso della propria superiorità morale ed etica che gli era stato inculcato dall'educazione. L'impero non era nemmeno più governato da Roma, perché la città era troppo lontana dalle frontiere decisive: sul Reno e sul Danubio in Europa, e sull'Eufrate in direzione della Persia. Questa fu l'epoca dell'«impero alla rovescia», governato da nuovi centri politici ed economici molto più vicini ai confini. Anche quando, per ragioni pratiche, fu necessario dividere politicamente l'impero – con una metà orientale governata da Costantinopoli, e la parte occidentale governata da Treviri o da Milano – la sua unità giuridica e culturale sopravvisse. Quando Teodoro ricevette il consolato, Roma era un grande centro educativo, culturale e simbolico, ma niente di più: «un distretto sacro», come disse un commentatore del IV secolo, «lontano dalla strada principale».

La seconda lezione che viene dalla storia dell'Impero romano è elementare ma profonda. Gli imperi non sono entità statiche, «cose». Sono sistemi dinamici di integrazione economica e politica. Perciò qualunque impero di lunga durata evolverà nel tempo a mano a mano che i diversi elementi del sistema cambieranno l'uno in rapporto all'altro e trasformeranno le strutture complessive del sistema stesso. Di conseguenza, importanti mutamenti nell'ubicazione del potere economico saranno rapidamente accompagnati da corrispondenti trasformazioni dell'influenza politica.

Questo ci fornisce una lente con cui osservare l'evoluzione del moderno Impero occidentale. Anche coloro che magari potrebbero negarne l'esistenza – sulla base della ragionevo-

le constatazione che non abbiamo a che fare con una singola entità costituita con una serie di conquiste o organizzata da un unico centro metropolitano – non possono negare
la continuità globale nella crescita dell'economia occidentale, che è culminata con la straordinaria quota del PIL globale dell'anno 1999. In questo senso, nonostante le sue origini a volte violentemente competitive – il primo conflitto
davvero globale nella storia del genere umano fu combattuto tra Gran Bretagna e Francia in una serie di guerre nel
corso del XVIII secolo –, la posizione globalmente dominante del blocco di nazioni occidentali fu costruita su profondi livelli di integrazione economica interna in termini
di commercio, flussi di capitale e migrazione umana. Frot-
te di immigrati dai vecchi centri europei dell'impero contribuirono a creare il loro successore – i moderni Stati Uniti –
rendendo tutt'altro che sorprendente il fatto che vi siano
anche importanti legami e valori condivisi, come dimostrano i matrimoni delle élite americane con quelle europee, e
nell'imitazione da parte americana dei modelli della cultura europea. Quando Vanderbilt trapiantò negli Stati Uniti
quel vertice dell'alta cultura europea, ovvero un'università, finanziando un college che avrebbe finito per portare il
suo nome, ci si aspettava che i candidati padroneggiasse-
ro il latino e il greco.

Alla fine, questa cultura comune dell'impero, l'equivalente moderno del latino, delle città e delle toghe, trovò formale espressione giuridica, finanziaria e istituzionale: un corrispettivo moderno dell'ascesa delle province al predominio
entro il sistema imperiale romano «alla rovescia» del IV secolo. Dopo la Seconda guerra mondiale, quando gli Stati
Uniti beneficiarono di un periodo di egemonia così completa da poter disciplinare i loro litigiosi alleati, essi promosse-
ro la creazione di una serie di istituzioni – le Nazioni Unite,
la Banca mondiale e il Fondo monetario internazionale, la
NATO, il GATT (General Agreement on Tariffs and Trade, Accordo generale sulle tariffe e il commercio), l'OCSE, il G7
– che consacravano il dominio globale dei governi occidentali e dei princìpi che questi ultimi abbracciavano: mercati,

libertà, democrazia, sovranità nazionale e ordine multilaterale. Pur convenendo di essere in disaccordo sui dettagli dei rispettivi modelli nazionali (in particolare per quanto riguardava i servizi pubblici da fornire e la politica estera), i paesi dell'Occidente si unirono intorno a un insieme di valori condivisi che consentivano un livello elevato di cooperazione nei loro rapporti. A sovrintendere su tutto ciò era, come nell'antica Roma, una potenza militare dominante – gli Stati Uniti –, in grado di assicurare una certa misura di continuità e stabilità nelle più lontane periferie dell'impero.

Intesi correttamente come sistemi imperiali durevoli in evoluzione, questi due imperi occidentali presentano un'evoluzione politica non così diversa come a prima vista si potrebbe pensare. L'Impero romano fu creato mediante conquista, ma evolvette in una comunità dominante a livello globale (nel proprio contesto) basata su un fondamento di strutture finanziarie, culturali e legali condivise. Il suo corrispettivo moderno sorse da un intenso conflitto interno tra i futuri partner, ma, intorno al 1999, era arrivato più o meno alla stessa situazione: un corpo che si autoidentificava con importanti valori condivisi e che operava mediante un insieme comune di istituzioni giuridiche e finanziarie.

Due importanti paralleli sono emersi tra la storia di Roma e quella dell'Occidente moderno. La crisi ha colpito entrambi i sistemi nel momento della loro apparente massima prosperità, e, nel lungo termine, entrambi hanno conosciuto periodici spostamenti dell'epicentro interno del dominio economico e politico. Questi paralleli sono tutt'altro che casuali. La ragione per cui ci si può aspettare che la crisi colpisca sistemi imperiali profondamente consolidati nel loro momento di massima floridezza emerge con chiarezza quando si sposta l'attenzione all'esterno, perché i sistemi imperiali non cessano di operare ai limiti delle loro frontiere formali. Nella loro fase di egemonia, entrambi gli imperi si arricchirono a spese del mondo che li circondava. Ma nel farlo, inavvertitamente trasformarono il contesto geostrategico in cui operavano, e ciò pose le premesse del loro stesso crollo.

III

A EST DEL RENO, A NORD DEL DANUBIO

Intorno al 30 d.C. un mercante romano di nome Gargilio Secondo acquistò una mucca da un uomo chiamato Stelos. Stelos veniva da oltre la frontiera – era una di quelle persone che i romani liquidavano come barbare, considerandole inferiori per definizione – in quanto viveva vicino a quella che oggi è la cittadina di Franeker, a est del Reno. La transazione costò 115 *nummi* d'argento; ne siamo a conoscenza perché la sua registrazione venne incisa su un pezzo di legno che fu riportato in superficie dal letto di un fiume olandese. Uno scambio di modesta entità e del tutto trascurabile: se si era verificato una volta sulle frontiere europee di Roma, si era verificato un milione di volte. Nei secoli precedenti e seguenti la nascita di Cristo, un gran numero di soldati romani era di stanza sulla frontiera del Reno, generando una domanda economica di dimensioni senza precedenti; 22.000 legionari, per esempio, erano stanziati sul territorio dei Canninefati, abitanti indigeni dell'estremità nordoccidentale della frontiera, che erano stati assoggettati di recente e probabilmente non erano più di 14.000. Questi ultimi non potevano in alcun modo soddisfare le esigenze dei militari di cibo, foraggio e altri materiali naturali come il legname da costruzione e da ardere, o il cuoio. Una legione di 5000 uomini abbisognava approssimativamente di 7500 chilogrammi di cereali e 450 chilogrammi di foraggio al giorno, ossia 225 e 13,5 tonnellate, rispettivamente, al mese. Ad alcune delle necessità dei soldati provvedeva direttamente il centro imperiale, ma questa pratica era scomoda e logisticamente problematica in un mondo in cui il trasporto del grano ne raddoppiava il prezzo ogni ottanta chilometri. Ovunque era molto meglio pagare in contanti e lasciare che fossero i fornitori locali a soddisfare la domanda: il fatto che l'acquisto di Secondo avesse coinvolto come testimoni due centurioni lascia supporre che il mercante rifornisse l'esercito.

Dopo la perdita del generale romano Varo e delle sue tre legioni nella battaglia della selva di Teutoburgo del 9 d.C., dove una coalizione di barbari germani in parte sottomessi, sotto la guida di Arminio, riuscì a riaffermare la propria indipendenza politica, l'espansione di Roma nelle aree a est del Reno lentamente si arrestò. Più a sud, il corso del Danubio venne ben presto a formare un'analoga linea di frontiera, e, alla metà del I secolo, l'arco dei due fiumi cominciò a segnare l'approssimativo confine geografico dell'intenso sviluppo economico e culturale provinciale che finì per produrre Ausonio e i suoi numerosi simili. Ma, pur operando con minore intensità al di là della frontiera fluviale, gli effetti trasformativi dell'economia di questo vasto sistema imperiale non si fermavano ai suoi confini.

All'interno del più ampio sistema imperiale romano, le opportunità per le popolazioni confinanti assumevano due forme fondamentali. Una si presentava da una parte e dall'altra nei pressi del confine: rifornire le legioni, come ci rammenta la casuale sopravvivenza della registrazione della vendita della mucca di Stelos. La seconda implicava reti commerciali a più lunga distanza, che si estendevano molto più in profondità nell'Europa centrale. Particolarmente famoso è il commercio dell'ambra: linfa coagulata proveniente da antiche regioni boscose sommerse e molto apprezzata dal mondo mediterraneo per la gioielleria. L'ambra veniva portata a riva sulle coste del Baltico meridionale, e da qui, lungo apposite strade, raggiungeva diversi punti della frontiera danubiana dell'impero. C'era anche una richiesta costante di manodopera. Mentre le legioni erano

composte da cittadini romani, metà dell'esercito comprendeva ausiliari privi della cittadinanza, che potevano essere reclutati da entrambe le parti della frontiera. Le iscrizioni testimoniano di molti soldati arruolati oltre confine che
vissero a lungo e prosperarono nel mondo romano, anche
se molti altri riattraversavano la frontiera al momento del
congedo. Accanto a questo flusso volontario di popolazione, esistevano anche ben consolidate reti schiavistiche. A
differenza di quanto accade per il ben documentato commercio di schiavi dominato dai vichinghi intorno alla fine
del I millennio, le fonti giunte fino a noi non sono chiare
in merito a chi praticava la tratta degli schiavi nel periodo
romano, né in merito alle aree dell'Europa da cui in genere
venivano prelevate le sue vittime. Ma gli schiavi domesti-
ci e la manodopera da impiegare nei campi erano sempre
molto richiesti in un mondo segnato dall'alta mortalità infantile (la metà di tutti i bambini moriva prima dei cinque
anni) e da una bassa densità di popolazione.

Le poche fonti disponibili rendono difficile studiare gli effetti dello stimolo economico dell'impero attraverso le vite
individuali di quanti vivevano oltre i suoi confini, come invece possiamo fare per il passato più recente nel caso del
moderno Occidente. Ma il più ampio quadro archeologico
venuto alla luce negli ultimi decenni è sorprendente. All'i-
nizio del I millennio d.C., l'Europa era grosso modo divisa
in tre zone di sviluppo nettamente differenziato. Le aree più
densamente popolate e gli insediamenti più grandi, che ri-
flettevano tecnologie agricole più produttive e reti di scambio più complesse, si trovavano a ovest del Reno e a sud
del Danubio. Più a est, in una seconda zona che dall'Europa centro-settentrionale si estendeva fino alla Vistola nella
moderna Polonia, un'agricoltura più vicina al semplice livello di sussistenza sostentava densità di popolazione più
basse e insediamenti più piccoli, più temporanei, con scar-
se testimonianze di scambi di qualsiasi tipo. In alcune aree
di questa regione, le uniche strutture costruite dall'uomo
in uso per più di una generazione o due erano i cimiteri, i
quali venivano utilizzati in modo continuativo e per una

varietà di scopi, comprese riunioni sociali di differenti tipi, nel corso di diversi secoli. L'economia agricola prevalente non era in grado di mantenere la fertilità dei campi per un tempo sufficiente a generare insediamenti a lungo termine, e così i luoghi di sepoltura delle comunità fornivano i punti di ritrovo più duraturi. Oltre la Vistola e l'arco nordorientale dei monti Carpazi, la terza zona – più esterna – era coperta da fitte foreste con regimi agricoli ancora più semplici, densità di popolazione ancora inferiori, e nessuna traccia di reti di scambi che non fossero locali.

La scoperta di questa più ampia configurazione ha reso possibile stabilire due punti ulteriori. Primo, essa spiega perché l'espansione romana si arrestò esattamente nel punto in cui si arrestò. Come è stato osservato anche nel caso dell'antica Cina, gli imperi che dipendono dalla produzione agricola basata sull'aratura tendono a fermarsi appena al di là del punto in cui il potenziale produttivo di nuovi territori giustifica i costi della conquista. La fondamentale equazione costi-benefici è approssimativamente valida, ma l'ambizione imperiale spingerà gli eserciti un po' oltre la linea del guadagno netto. Nel caso di Roma, alcune delle nostre fonti osservano che non valeva veramente la pena di conquistare la Britannia quando Claudio inviò quattro legioni a nord della Manica nel 43 d.C., e in verità non fu tanto la sconfitta di Varo – pienamente vendicata nel corso del decennio successivo – quanto la relativa povertà generale della regione tra il Reno e l'Elba a indurre le legioni a non procedere oltre. Secondo, e più importante, ci consente di valutare la scala della successiva rivoluzione generata da tre o quattro secoli di sostenuta domanda economica romana nel retroterra immediato dell'impero.

I romani potevano ben continuare a disprezzare tutti i loro vicini come barbari, ma un importante cambiamento stava prendendo progressivamente piede. Le forme di agricoltura appena sufficienti a garantire la sussistenza che prevalevano nella seconda zona dell'Europa centro-settentrionale, nel IV secolo avevano lasciato il passo, in una fascia di territorio immediatamente a ridosso delle frontiere, a regimi agricoli più produttivi con un ruolo molto accentuato dei raccolti di cereali, che in generale producono molto più cibo per ettaro rispetto all'allevamento di bestiame. Questa mini-rivoluzione agricola a sua volta sostentava popolazioni molto più numerose, insediamenti più grandi e più stabili, e garantiva robuste eccedenze agricole, parte delle quali venivano convertite in denaro e merci romane alla frontiera. Grandi villaggi permanenti compaiono per la prima volta in questa parte dell'Europa centrale dell'Età del ferro, dalla fine del I secolo d.C. in avanti. E talmente interconnessi divennero in seguito i suoi rapporti economici con l'impero che nel IV secolo le monete romane costituivano un mezzo quotidiano di scambio in molte delle regioni di frontiera: tra le tribù germaniche compresi i goti tervingi del basso Danubio, per esempio, e gli alemanni dell'alto Reno. I generi importati dall'impero, in particolare vino e olio d'oliva ma anche articoli più ordinari, sono abbondanti nei resti del IV secolo di questa stessa fascia di territorio estesa per cento chilometri e più oltre il confine militare romano. Parti di essa videro perfino un modesto ma percepibile incremento della produzione artigianale e del commercio. Manifatture ceramiche locali, caratterizzate dall'introduzione del tornio, si erano sviluppate in alcune zone, e anche un'industria vetraria nuova di zecca soddisfaceva la domanda di là dalla frontiera. Entrambe le attività seguivano chiaramente l'esempio romano, e forse si avvalevano direttamente della competenza del centro dell'impero. La documentazione storica conferma l'importanza perdurante anche nel IV secolo delle esportazioni archeologicamente invisibili – alimenti, animali e lavoro – che andavano in direzione opposta, e pure la produzione di minerale di ferro aumentò drasticamente in certe regioni dell'Europa barbarica, in parte per rispondere alla domanda di Roma.

Dietro questa trasformazione macroeconomica c'erano miriadi di innovatori e imprenditori su piccola scala, come Stelos, che rispondevano alle opportunità economiche offerte dalla domanda senza precedenti dei legionari facendosi promotori delle pratiche agricole più intensive che alla fine comparvero su entrambi i versanti della frontiera. Poiché le singole transazioni venivano prevalentemente registrate su materiali deperibili come il legno o il papiro, queste storie di successo individuali non sono giunte fino a noi, ma la documentazione archeologica nel suo insieme mette comunque in luce sorprendenti riflessi materiali della nuova ricchezza che fluiva nelle società non romane oltre la frontiera e allo stesso tempo veniva generata al loro interno. È chiaro anche che questa nuova ricchezza non veniva suddivisa in modo uniforme, alla periferia come al centro. Non è altro che un vecchio mito nazionalista quello secondo cui le popolazioni di lingua prevalentemente germanica che dominavano buona parte della seconda zona dell'Europa all'inizio del I millennio erano caratterizzate da una diffusa uguaglianza sociale. L'effetto complessivo della nuova ricchezza era di incrementare le differenze esistenti e probabilmente anche di crearne alcune nuove. I membri delle élite della frontiera venivano solitamente sepolti con i gioielli e gli accessori di vestiario che avevano portato in vita, e, con il passare del tempo, questi erano sempre più fatti di argento ricavato dai *denarii* romani rimaneggiati.

Nemmeno gli effetti trasformativi del contatto economico con l'imperialismo romano furono omogenei dal punto di vista geografico. La terza zona dell'Europa, a nord e a est della Vistola e dei Carpazi, era, per quanto ne sappiamo, così lontana dai confini di Roma da non essere affatto toccata da questi processi. Praticamente non vi sono state rinvenute tracce di importazioni da Roma, e le sue popolazioni non figurano in nessuno degli avvenimenti riportati nelle fonti storiche (sebbene sia possibile che alcune delle reti schiavistiche si siano estese così lontano dalle frontiere in cerca di vittime). Inoltre, senza un'attrezzatura altamente tecnologica, in generale non è possibile distinguere resti provenienti dalla regione del 500 a.C. da quelli del 500 d.C. Poco o nulla di significativo cambiò in questa terza zona nell'intero millennio che vide l'ascesa e la caduta di Roma.

Nella storia complessiva dello sviluppo al di là delle frontiere di Roma, la prossimità al centro era il fattore essenziale. Nel IV secolo d.C. le prove più significative di trasformazione socioeconomica nella seconda zona considerata globalmente – come ci si aspetterebbe da un mondo in cui il trasporto era lento e costoso – sono confinate in una periferia imperiale interna, di ampiezza poco superiore a cento chilometri, dove le popolazioni locali potevano rispondere nel modo più efficace alle opportunità economiche offerte dall'impero. Tra questa periferia interna e il mondo della terza zona non toccato dalle trasformazioni si sviluppò una periferia esterna che si estendeva per qualche altro centinaio di chilometri dal confine imperiale. Qui sono presenti importazioni da Roma, ma in quantità minori rispetto alla periferia interna, e questo perché la regione probabilmente forniva soltanto generi più spiccatamente di lusso – come l'ambra e gli schiavi – che valeva la pena di trasportare su distanze maggiori, dato che era troppo lontana dalla frontiera per essere coinvolta nelle reti di approvvigionamento delle legioni. Ciononostante, i contatti con l'impero erano ancora abbastanza importanti da avere effetti visibili. Un'affascinante per quanto vaga testimonianza di questo è venuta alla luce di recente con l'identificazione nell'entroterra meridionale del Baltico di diverse centinaia di chilometri di vie lastricate e strade che furono costruite nei primi secoli della nostra èra, presumibilmente per facilitare e controllare il fiorente commercio dell'ambra (e forse anche degli schiavi, ma non c'è modo per esserne certi). In origine si pensava che con ogni probabilità si trattasse di opere realizzate da popolazioni slave della fine del I millennio, ma l'analisi dendrocronologica (la datazione tramite gli anelli di accrescimento degli alberi) ha portato a un'attribuzione certa al periodo romano. La scala stessa dell'opera basta a chiarire il valore globale della rete di scambio che questi collegamenti supportavano.

Il potere imperiale si estese via terra dal cerchio del Mediterraneo verso l'esterno, dato che non disponeva di alcun mezzo per trasportare le sue legioni in altre parti del globo. La medesima limitazione faceva anche sì che le operazioni a lungo termine del sistema imperiale romano messe in moto da queste conquiste iniziali generassero configurazioni geografiche relativamente semplici. La conquista formale si irradiò da Roma verso l'esterno nei secoli precedenti e seguenti la nascita di Cristo, finché non si esaurirono i territori che valevano il prezzo dell'annessione. I territori compresi entro quella linea di demarcazione iniziarono poi il lento percorso verso il rango di province a tutti gli effetti, mentre, al di là di essa, finì per nascere una periferia interna le cui popolazioni avevano con l'impero rapporti sufficienti a generare più attive reti di scambi economici. Più in là c'era una periferia esterna, troppo lontana per poter soddisfare una domanda diversa da quella di beni di lusso che valevano il costo e lo sforzo del trasporto sulla lunga distanza. Ancora più lontano, il mondo oltre la Vistola non aveva alcun rapporto visibile con il sistema romano.

Il moderno imperialismo occidentale, invece, si sviluppò fino ad abbracciare il globo intero. Creato da potenze dotate della capacità di costruire le navi e le ferrovie necessarie per realizzare vaste reti imperiali, l'Occidente moderno generò configurazioni geografiche molto più complicate. A un esame più approfondito, però, le sue strutture economiche interconnesse operavano in modi in gran parte analoghi a quelli della sua antica controparte romana.

«Abbiamo un impero più vasto di quanto sia mai stato»

Nel 1853 un adolescente partì dalla città di Navsari nel Gujarat per raggiungere il padre a Bombay. Per generazioni i Tata erano stati sacerdoti parsi a Navsari, ma, nella prima metà del XIX secolo, Nusserwanji Tata aveva infranto la tradizione di famiglia per fondare una piccola azienda di esportazioni a Bombay, e suo figlio Jamsetji era destinato a frequentare le scuole inglesi della città, in particolare la nuova scuola che sarebbe poi diventata l'Elphinstone College. La città, allora sotto controllo britannico, stava vivendo un periodo di grande sviluppo. Qui aveva sede la presidenza di Bombay, quartier generale regionale della Compagnia delle Indie Orientali, che era alacremente impegnata a migliorare le reti di trasporto in tutta la regione, e il porto si stava espandendo rapidamente come importante snodo commerciale all'interno dell'Impero britannico. In seguito all'acquisizione da parte del Regno Unito del controllo di diversi porti cinesi nella Prima guerra dell'oppio (1839-1842), Tata senior nutriva la grande ambizione di inviare l'oppio dalla regione indiana del Malwa ai mercati cinesi.

Nel 1859, due anni dopo la vasta ribellione indiana contro il governo britannico, e un anno dopo che il Regno Unito aveva assunto il controllo diretto delle attività della Compagnia delle Indie Orientali, Jamsetji compì vent'anni. Completata la sua istruzione, fu inviato a Hong Kong, dove comprese rapidamente che si poteva fare più denaro con il cotone che con l'oppio, e persuase suo padre a orientarsi in questo senso. Il cambiamento si dimostrò più vantaggioso di quanto i due avrebbero mai potuto immaginare, allorché scoppiò la guerra civile americana nel 1861, e le forze dell'Unione imposero il blocco ai porti confederati. Con l'esaurirsi delle forniture americane di cotone alle fabbriche britanniche, il prezzo del cotone indiano e delle esportazioni di prodotti tessili salì alle stelle, e le entrate di Bombay triplicarono. Questo improvviso e massiccio afflusso di ricchezza fece aumentare i prezzi delle azioni delle compagnie tessili indiane e scatenò una miriade di iniziative speculative.

Jamsetji dovette di nuovo entrare in azione, e a bordo di navi cariche di cotone grezzo arrivò in Gran Bretagna, dove in breve stabilì stretti legami con alcuni industriali del Lancashire. Da loro ricavò una più profonda comprensione dei meccanismi del comparto produttivo dell'industria cotoniera. Il suo naturale e acuto senso degli affari era stato notevolmente favorito dal fatto che i circoli degli imprenditori di Bombay, a differenza di quelli di Calcutta, erano aperti agli uomini d'affari indiani, il che facilitava il reciproco trasferimento di competenze pratiche oltre le barriere razziali. La comunità parsi di Londra aveva anche sviluppato l'abitudine di riunirsi in una specie di circolo informale a casa di Dadabhai Naoroji, uno dei principali intellettuali nazionalisti indiani e in seguito membro fondatore del Partito del congresso nazionale indiano. In questi due ambienti Jamsetji apprese il valore del fare rete (per non parlare dei vantaggi delle buone relazioni politiche) ai fini del successo negli affari. Quando tornò a Bombay, fondò un proprio club: una pratica cui più tardi anche suo figlio diede seguito.

Nel 1869 Jamsetji Tata si sentì abbastanza sicuro della propria conoscenza del settore tessile in genere da comprare un oleificio in bancarotta a Chinchpokli, a sud di Bombay. Convertitolo al cotone, ne risollevò le sorti e lo rivendette con un ottimo profitto. Così iniziò il lungo ed estremamente fortunato impegno della famiglia nella manifattura tessile (ben diverso dalla semplice esportazione del cotone grezzo). Abbondantemente fornito di capitale grazie alle sue numerose iniziative imprenditoriali di successo, ed essendosi impadronito delle tecnologie produttive del Lancashire – una conoscenza, questa, grandemente rafforzata dalla sua abitudine di assumere una varietà di dipendenti sia indiani sia inglesi –, Jamsetji creò poi un enorme complesso industriale nella città di Nagpur. Il sito fu scelto per la sua vicinanza alle fonti di approvvigionamento di cotone e carbone, per i prezzi più bassi dei terreni e il collegamento ferroviario con Bombay. Grazie alla vendita dei suoi prodotti in tutto l'impero, che generava profitti medi annuali dell'ordine del 20 per cento, l'impresa della famiglia Tata crebbe rapidamente. Nel corso delle due generazioni successive diversificò le sue attività nel campo del ferro, dell'acciaio, della progettazione tecnica e della costruzione di locomotive, nei settori idroelettrico e petrolchimico, degli hotel, della stampa, delle assicurazioni, del cemento e del trasporto aereo (con la fondazione di quella che poi sarebbe diventata Air India).

Mentre gli imperi europei, dall'inizio dell'età moderna in poi, si espandevano in tutto il pianeta, nella loro scia, per un gran numero di individui e famiglie come i Tata, si dischiudevano opportunità economiche. Di questi imperi,

quello britannico era certamente il più vasto. Al momento della sua massima estensione, come ben illustrava un famoso francobollo natalizio canadese del 1898, l'impero copriva pressoché un quarto delle terre emerse. Un equivalente francobollo francese dello stesso periodo avrebbe esibito altri territori, senza tener conto dei più antichi possedimenti olandesi, spagnoli e portoghesi, o dei territori di recente acquisiti da (relativamente) nuovi venuti, quali l'America, la Germania, il Belgio e l'Italia.

La storia di successo dei Tata rieccheggia quelle dei non romani nella periferia di quell'impero più antico, ma alcune differenze evidenti saltano all'occhio quando l'edificio imperiale del moderno Occidente viene messo a confronto con il suo illustre predecessore, la più ovvia delle quali è illustrata chiaramente dal francobollo: la scala. Il moderno imperialismo occidentale era letteralmente globale, in quanto poneva sotto il proprio dominio diretto gran parte del pianeta, e lo inseriva praticamente tutto, in qualche modo o forma, nelle sue reti economiche. Certo, ancora nel XX secolo c'erano alcune parti del pianeta che rimanevano, a tutti gli effetti, al di fuori del sistema imperiale – vaste aree dell'interno dell'Amazzonia, le alture della Papua Nuova Guinea, parti dell'Asia centrale –, ma i tentacoli del potere economico occidentale si allargavano su una percentuale della superficie terrestre in precedenza inconcepibile. L'imperialismo romano, viceversa, era di carattere regionale: sotto il suo controllo diretto ricadevano il Mediterraneo e buona parte del suo entroterra immediato, e una fascia di territorio estesa dall'Europa centro-settentrionale all'Ucraina era coinvolta in misura maggiore o minore nelle sue reti commerciali. Ma quando si tiene conto delle velocità relative di movimento, gran parte di questa apparente differenza scompare. Lungo la sua diagonale maggiore, il dominio romano diretto si estendeva per quasi cinquemila chilometri. Dato che nell'antichità tutto sulla terraferma si muoveva circa venti volte più lentamente rispetto a oggi (vedi p. 27), la sua estensione equivaleva a quella di uno stato moderno di dimensioni superiori a centomila chilometri, ossia pari più o meno a due volte e mezzo la circonferenza della Terra (che è quasi esattamente di quarantamila chilometri). Nel suo contesto, l'Impero romano era una potenza globale tanto quanto il moderno Occidente.

Un secondo punto di apparente differenza era il fatto che l'Impero romano costituiva un blocco continuo di territorio, composto da varie zone interne del bacino del Mediterraneo, mentre i possedimenti delle moderne potenze occidentali erano dispersi in aree di diverse dimensioni in tutto il pianeta. Di nuovo, però, c'era una somiglianza più profonda nel modo in cui i due sistemi operavano in pratica. Le vaste macchie di colore rosso e blu sulle vecchie carte coloniali (e sui francobolli) sono fuorvianti in un senso importante. A prima vista i Tata potrebbero sembrare abbastanza simili ai Vanderbilt, dato che la principale differenza consisteva nel fatto che questi ultimi avevano un vantaggio iniziale: Cornelius Vanderbilt era già uno degli uomini più ricchi del mondo quando Jamsetji Tata stava appena iniziando a studiare il potenziale del cotone. Ma tra le storie delle due famiglie ci sono differenze assai più profonde.

Carte geografiche e francobolli tendono a dare l'impressione che tutti i territori subordinati all'impero fossero su un piano di parità. I territori britannici dovevano avere tutti il medesimo status, e lo stesso valeva per i territori francesi. Le cose, però, stavano diversamente. Gli andamenti dell'integrazione delle province e della periferia nel moderno Impero occidentale, così come essa si era sviluppata fino allo scoppio della Seconda guerra mondiale, ricordavano da vicino ciò che era accaduto entro e oltre il mondo romano nei primi tre secoli dopo la nascita di Cristo. Se si osservano bene le carte geografiche, emerge un analogo, triplice schema di partecipazione al sistema imperiale: province pienamente integrate, periferia interna sostanzialmente integrata, e periferia esterna molto meno integrata.

Province e periferie

L'equivalente moderno delle province romane – i luoghi in cui, nel corso del tempo, famiglie come quella di Ausonio raggiungevano la piena partecipazione economica, culturale e politica alle strutture dell'impero – erano le colonie di insediamento. In queste aree i coloni arrivavano a costituire – in virtù di una combinazione di violenza, trattativa e malattie – la maggioranza della popolazione, e finivano per introdurre così tante strutture culturali e istituzionali europee da farle diventare effettivamente parte di un nucleo esteso dell'Impero occidentale, indipendentemente dal luogo in cui si trovavano dal punto di vista geografico. La patria nordamericana dei Vanderbilt ne è l'esempio più ovvio, e lì l'ascesa di quella che in origine era stata una comunità provinciale fu così spettacolare da farne, già dall'inizio del XX secolo, la forza economica dominante nell'ambito del più ampio Impero occidentale. Ma anche i cosiddetti «*dominions* bianchi» dell'Impero britannico – di cui l'America in origine faceva parte – ricadono in questa categoria: Canada, Australia e Nuova Zelanda. Nei primi anni del XX secolo in queste nuove entità dotate di autogoverno il PIL pro capite aveva già superato quello della madrepatria britannica. Nessuna delle altre potenze imperiali europee esportò in una qualsiasi delle proprie colonie una quota così grande della popolazione autoctona, o vi generò così tanta ricchezza da immetterla in un'analoga traiettoria di lungo termine verso l'appartenenza a pieno titolo al nucleo imperiale del XX secolo. La Francia lo aveva potenzialmente fatto nel caso della Nuova Francia, dell'Acadia e della Louisiana, ma questi territori passarono in prevalenza sotto il controllo britannico nel XVIII secolo, e tutti e tre seguirono il corso del Canada e degli Stati Uniti di cui erano entrati a far parte.[1]

Al di là di questo nucleo imperiale esteso, nel XX secolo, c'era la periferia imperiale. Come nell'antichità, le sue parti costituenti possono essere suddivise in fasce interne ed esterne, sulla base del valore relativo dei loro scambi diretti con l'impero. Nel caso di Roma, dove gli scambi dipendevano in larga misura dal trasporto via terra, «interno» ed «esterno» fungono anche da descrittori geografici. La periferia interna era semplicemente più vicina in linea d'aria ai confini dell'impero: un'area larga un centinaio di chilometri immediatamente oltre la frontiera che contribuiva ad approvvigionare le legioni e riceveva in cambio una grande quantità di merci di uso quotidiano. A prima vista, i sistemi imperiali del moderno Occidente sembrano molto diversi. Poiché i loro territori erano collegati da una combinazione di reti marittime e (in misura crescente) ferroviarie, molti dei partner commerciali che appartenevano alla periferia interna dal punto di vista economico erano più lontani dal nucleo imperiale occidentale in termini di miglia o chilometri rispetto ad alcune delle loro controparti della periferia esterna. Regioni del subcontinente indiano e dell'Estremo Oriente, per esempio, svolgevano un ruolo significativamente più importante nelle reti commerciali dell'impero rispetto a gran parte dell'Africa, che era fisicamente più vicina all'Europa. Ma quando si guardano un po' più attentamente le carte geografiche dell'impero, misurando la vicinanza e la lontananza – come si dovrebbe fare sempre – in termini del tempo che effettivamente occorreva per coprire una particolare distanza, e non della misura assoluta di tale distanza in miglia o chilometri, ci si rende rapidamente conto di come la periferia del moderno Occidente, quale si era sviluppata verso gli anni Venti e Trenta del XX secolo, in realtà fosse del tutto analoga a quella dell'Impero romano. Collegata da navi e treni, la periferia imperiale interna era di fatto più vicina al cuore europeo dell'impero in termini di tempo di percorrenza rispetto a quella esterna.

In realtà, quindi, gli orari delle navi e dei treni all'inizio del XX secolo forniscono ottime indicazioni riguardo all'identità della periferia interna dell'impero. In parte, essa era composta da colonie formalmente costituite, o più precisamente da particolari regioni all'interno di tali colonie. Il cotone dell'India, l'oro del Sudafrica, il tè e il caffè dell'Africa orientale britannica, la gomma dell'Estremo Oriente, lo zucchero dei Caraibi: di tutti c'era una forte domanda per soddisfare i bisogni dell'Occidente, e molte di queste merci venivano prodotte in territori formalmente sotto il controllo imperiale. Altre parti della periferia interna rimanevano politicamente indipendenti, ma destinavano ugualmente una frazione significativa della loro attività economica a soddisfare la domanda dell'impero. In alcune parti del mondo questa integrazione economica avvenne sotto la minaccia dei cannoni: Giappone e Cina non furono mai formalmente colonie, ma nel XIX secolo i loro mercati furono aperti e le loro risorse naturali rese disponibili con la forza – la «diplomazia delle cannoniere» –, mentre le potenze imperiali occidentali utilizzavano regolarmente la forza bruta per imporre la loro volontà a stati militarmente più deboli.

Ciò che definiva entrambi questi tipi di territorio come appartenenti alla periferia interna erano le rotte marittime e le ferrovie. Nei primi decenni del XX secolo era sorta una rete connessa a livello globale di porti, ciascuno dei quali era collocato strategicamente in modo da servire un entroterra ricco di prodotti ricercati dall'impero. In origine questi porti erano stati collegati ai loro entroterra mediante sistemi fluviali, ma, fin dalla seconda metà del XIX secolo, una rete sempre più fitta e comoda di linee ferroviarie (una delle quali permise a Jamsetji Tata di costruire il suo cotonificio fuori da Bombay) cominciò a smistare una quota maggiore del traffico.

Come nel caso dell'Impero romano, il valore totale degli scambi della moderna periferia interna con il nucleo centrale superava (in termini proporzionali) quello della periferia esterna, e tale commercio generava nuova ricchezza sufficiente ad avviare significativi processi di mutamento socioeconomico. Alcuni di questi erano promossi da migranti europei, attratti dalle numerose opportunità di arricchimento. Nella maggior parte dei casi erano concentrati nei poli commerciali e amministrativi delle città e in particolare in quelle aree destinate all'occupazione europea, quali le Colline Bianche del Kenya o le piantagioni delle Indie Occidentali e delle Indie Orientali olandesi. Ma, a differenza di quanto accadeva nelle colonie avviate a diventare province a pieno titolo, qui gli immigrati europei non rappresentarono che una piccola percentuale della popolazione totale.

Il grosso della produzione nella periferia interna era invece assicurato da imprenditori indigeni, che a volte venivano attratti nell'economia imperiale di esportazione da incentivi sui prezzi e altre opportunità commerciali. Tra gli equivalenti moderni di Stelos c'erano non soltanto i grandissimi, come Nusserwanji e Jamsetji Tata, ma anche diversi milioni di individui, sconosciuti a tutti eccetto che alle loro famiglie, che migravano nella periferia interna in cerca di nuove opportunità. Gli elementi meno fortunati della popolazione indigena scoprivano di non avere scelta. Molti regimi coloniali adottavano leggi sul lavoro forzato, di cui si servivano per i progetti di opere pubbliche – come ferrovie o strade – o a volte per integrare la forza lavoro nelle fattorie europee (come nell'Africa occidentale francese). La schiavitù, naturalmente, fu a lungo utilizzata per alimentare le economie basate sulle piantagioni delle Americhe, e anche dopo la sua formale abolizione, tipi di schiavitù a tutti gli effetti eccetto che nel nome continuarono a essere in vigore, specialmente nelle piantagioni di gomma

del Congo belga. Anche i regimi fiscali coloniali che imponevano pagamenti nella valuta della potenza imperiale potevano costringere i produttori a orientare la loro produzione verso i mercati dell'impero. Questo meccanismo fu
impiegato per costruire il settore delle piantagioni nelle Indie Orientali olandesi, mentre nell'Africa britannica e francese le imposte capitarie e quelle sulle capanne erano usa-
te per coprire i costi dell'amministrazione coloniale, oltre
che per sostenere la valuta imperiale (dato che tutte le entrate fiscali venivano depositate nelle banche centrali dei
paesi colonizzatori).

Nel corso del tempo questa potente combinazione di partecipazione economica volontaria e involontaria cambiò in
modo sostanziale sia la popolazione sia la distribuzione della ricchezza in tutta la periferia interna. A parte la creazione delle fortune di molti europei e di numeri più ristretti di
uomini d'affari indigeni, come i Tata, un effetto strutturale
più ampio si era manifestato con forza crescente nel periodo tra le due guerre: il trasferimento di popolazioni. In India una città come Bombay già verso la metà del XIX secolo
raddoppiava il numero degli abitanti ogni decennio, mentre il suo entroterra, che produceva oppio e cotone, assor-
biva forza lavoro in enormi quantità. Questi effetti si verificavano in modo analogo in tutta la periferia interna, nei
porti dei trattati della Cina imperiale e del Giappone, in regioni dell'insediamento francese in Algeria e nelle colonie
ricche di piantagioni dei Caraibi, con una quota crescente della popolazione che si trasferiva in zone più vicine ai
porti costieri o ai fiumi e alle reti ferroviarie che li collega-
vano alle zone di produzione interne.

La periferia esterna, invece, era caratterizzata da volumi
inferiori di scambio diretto con il cuore del sistema economico. Essendo prive di risorse o di mercati di cui i produttori
dell'impero erano affamati, o di un'ecologia che consentis-
se agli amministratori imperiali di attuare una coltivazione
su vasta scala di prodotti da esportazione, queste aree – anche se sotto il formale dominio coloniale – attiravano meno
investimenti in infrastrutture di trasporto e rimanevano re-

lativamente isolate in termini geografici. In gran parte della periferia esterna, la maggioranza delle persone di rado – o addirittura mai – incontrava un bianco. Nondimeno molti di coloro che vivevano in questa periferia esterna videro il progressivo sviluppo delle reti imperiali del commercio modificare sostanzialmente i loro modi di vivere.

Spesso la mancanza di un comodo accesso alla rete di esportazione verso l'Europa e il Nordamerica provocava lo spopolamento delle cittadine dell'interno. In un caso estremo, Timbuctù da ricco e popoloso snodo su un'antica via commerciale trans-sahariana decadde fino alla quasi totale estinzione quando le strade e le ferrovie francesi riorientarono il commercio sulla parallela direttrice costiera. Oggi evocata proverbialmente come il posto più remoto che si possa immaginare, un tempo Timbuctù era il centro molto ricco di una vasta rete commerciale. Più in generale, i produttori agricoli della periferia esterna, anche quando non erano essi stessi attratti fisicamente nella periferia interna, a volte fornivano risorse alimentari ai consumatori di tale zona, in particolare quando questi ultimi, riorientando la loro produzione verso generi di esportazione o abbandonando del tutto l'agricoltura, non erano più in grado di garantire pienamente la propria alimentazione. Territori coloniali come l'Alto Volta o il Mali, stati nominalmente indipendenti come il Bhutan e il Lesotho, e anche grandi aree all'interno dell'India o della Cina, la cui organizzazione sociale ed economica conobbe scarsi cambiamenti prima della Seconda guerra mondiale, operavano tutti effettivamente nella periferia imperiale esterna. C'erano modesti scambi tra il Bhutan e l'India britannica, e una considerevole migrazione di forza lavoro dall'Alto Volta, dal Mali e dal Lesotho verso le fattorie e le miniere dei territori vicini che invece *erano* connessi all'economia globale. Il prodotto lordo e il reddito pro capite nella periferia esterna a volte aumentavano grazie a questo commercio, ma in generale molto meno che nella periferia interna, che a sua volta cresceva meno delle province.

Di conseguenza la maggior parte delle società periferiche – sia interne sia esterne – videro fino al 1939 processi di trasformazione economica molto più lenti rispetto alle province dell'Impero occidentale. In pratica i confini tra le tre categorie di territori potevano fluttuare, e non sempre corrispondevano esattamente alle frontiere tracciate sulle carte geografiche. Differenti regioni entro la medesima giurisdizione potevano appartenere alla periferia interna e a quella esterna, come accadeva di certo nel caso della Cina e dell'India. Il Sudafrica, si può dire, conteneva in sé tutti e tre gli elementi del sistema imperiale: un nucleo provinciale nelle aree di consistente insediamento dei bianchi e nelle principali città, una periferia interna in alcune aree minerarie e agricole votate all'esportazione, e una periferia esterna in aree che di fatto fungevano da riserve di forza lavoro per quella che dopo il 1948 sarebbe diventata l'economia dell'apartheid. Ciononostante, come nel caso dei vicini di Roma, le conseguenze di qualunque livello di integrazione nell'economa imperiale si dimostrarono rivoluzionarie per tutti i territori coinvolti.

In certi casi l'effetto complessivo fu gravemente negativo. Dopo l'apertura forzata della Cina all'Occidente, la sua economia subì un arretramento. Nel corso del XIX secolo, mentre il reddito pro capite della Gran Bretagna più che raddoppiava, quello della Cina diminuì di un decimo. Anche se entro i territori della Cina vi erano singoli individui che ancora facevano fortuna, intorno alla fine del XIX e all'inizio del XX secolo, l'effetto complessivo fu un lungo periodo di crisi. Ma questo tipo di declino assoluto non era il normale esito macroeconomico né nella periferia interna né in quella esterna. Il caso dell'India era più tipico. La sua economia crebbe, sia pure a un ritmo più lento rispetto a quelle delle province del nucleo del sistema imperiale. Ciò forniva nuove opportunità a quanti, come i Tata, erano abbastanza abili e scaltri da coglierle, ma l'economia nel suo complesso perdeva colpi rispetto a quella della madrepatria imperiale, mentre i capi della Compagnia delle Indie Orientali depredavano i loro nuovi possedimenti, spogliandoli dei gioielli e di altre forme di ricchezza mobile, e si costituivano immense fortune personali (riempiendo le residenze di campagna che costruivano in patria con buona parte del bottino). Lo sviluppo economico a lungo termine nella periferia aveva, però, un significato che andava ben al di là della limitata ascesa di classi imprenditoriali indigene o della riconfigurazione degli andamenti demografici e produttivi prevalenti. Anche quando non è immediatamente evidente, qualunque importante mutamento economico, mediante redistribuzione della ricchezza, comporta necessariamente conseguenze politiche di vasta portata.

IV

IL POTERE DEL DENARO

Alle prime luci del mattino dell'11 settembre 1973 un'automobile sfrecciava per le strade di Santiago. Pochi minuti prima, il presidente cileno Salvador Allende aveva ricevuto una telefonata che lo avvertiva di un ammutinamento nei ranghi della marina nella città portuale di Valparaíso. Chiamò per avere notizie il comandante dell'esercito, generale Augusto Pinochet, che gli disse che avrebbe indagato e lo avrebbe richiamato. Al presidente bastò qualche minuto di silenzio per rendersi conto che Pinochet non lo avrebbe richiamato. Affrettandosi ad avvertire i suoi alleati che era in corso un colpo di stato, Allende si diresse di gran carriera al palazzo presidenziale.

Il tentativo del presidente di realizzare un'utopia socialista in Cile era sempre stato a rischio. Aveva vinto le elezioni del 1970 con un terzo scarso dei voti. In base al sistema elettorale cileno, ciò era sufficiente a garantirgli la presidenza, ma con un mandato debole e un sostegno minoritario in un Congresso che non lo amava. L'economia che aveva ereditato, se non proprio malata, gli lasciava comunque poco con cui costruire una nuova Gerusalemme, afflitta com'era da un'inflazione ostinatamente elevata accompagnata da una crescita costante ma non spettacolare. Volto ad avviare una trasformazione, il programma iniziale di Allende che prevedeva una spesa generosa innescò un boom a breve termine, ma nel 1973 l'economia si stava arenando. La produzione calava, l'inflazione saliva rapidamente, scoppiavano scioperi in serie, e le code per il pane si allungavano di continuo. Nonostante questa situazione allarmante, con il malcontento interno che aumentava, i militari cileni si attenevano alla loro tradizionale professionalità, astenendosi dall'intervento politico così caratteristico di altri generali latino-americani. Ciò che infine spinse Pinochet ad agire fu l'appoggio degli Stati Uniti.

Anche rispetto ai livelli consueti dei presidenti americani, Richard Nixon detestava particolarmente tutto ciò che aveva a che fare con il comunismo. Alla fine degli anni Sessanta, il precedente governo cileno aveva intrapreso un drastico programma di riforma sociale, che comportava la redistribuzione delle terre e la parziale nazionalizzazione dell'industria estrattiva del rame di proprietà americana. Ciò mise alla prova la pazienza di Nixon, ma fino a quando il Cile fosse rimasto allineato con l'Occidente, Washington avrebbe fatto buon viso a cattivo gioco. Allende, però, forzò la mano alla buona sorte. Non solo completò il processo di nazionalizzazione senza ulteriori compensazioni agli interessi statunitensi, ma minacciò di spostare il Cile nell'orbita sovietica. Per Washington questo era troppo. Agli Stati Uniti ancora bruciava la perdita di Cuba, passata al campo comunista dopo la rivoluzione del 1959, e non erano disposti a tollerare un secondo stato socialista nel loro cortile di casa. Mediante attività segrete che comprendevano il finanziamento occulto di politici e media ostili ad Allende, mediante la pressione sui militari cileni (tra i quali gli agenti dell'intelligence USA trovarono ufficiali bendisposti), e una reazione incoraggiante alle prime voci di un colpo di stato circolanti nei corridoi del potere a Santiago, la Casa Bianca chiarì che avrebbe salutato con favore la caduta del nuovo presidente.

Prima della fine della giornata, Allende era morto suicida e Pinochet era a capo di una giunta militare. Avrebbe governato il Cile per i successivi diciassette anni. Sebbene il coinvolgimento della CIA nel rovesciamento e nella sostanziale esecuzione di Allende sollevasse l'indignazione dell'opinione democratica in tutto il mondo, l'amministrazione Nixon stava agendo entro i parametri ben definiti del potere imperiale occidentale. Dopo la Seconda guerra mondiale, la diplomazia delle cannoniere del XIX secolo e dell'inizio del XX aveva in genere ceduto il passo a un nuovo tipo di dominio. Dal momento che tanti paesi in via di sviluppo erano fortemente dipendenti a livello economico dal nuovo Impero occidentale, i suoi leader, e in particolare gli Stati Uniti, potevano esercitare un'enorme influenza con metodi meno scopertamente intrusivi. Gli strumenti per intervenire sui governi recalcitranti erano svariati: taglio degli aiuti, ostruzionismo nei negoziati commerciali, sostegno ai nemici interni, imposizione di sanzioni per limitare i viaggi dei leader e congelamento dei conti bancari. E se tutto questo fosse risultato insufficiente, allora, come in Cile, l'azione dei servizi segreti poteva contribuire a installare un regime più compiacente. Salvador Allende fu solo uno di una lunga lista di uomini di governo, come Mohammad Mossadeq in Iran o Jacobo Árbenz Guzmán in Guatemala, che nella periferia imperiale dell'Occidente dopo il 1945 furono deposti quando diventavano troppo risoluti e minacciavano l'egemonia occidentale. Molti altri, ben consapevoli di questi esempi e riluttanti a inimicarsi l'Occidente, moderavano la loro iniziale ostilità o addirittura sollecitavano attivamente la protezione occidentale trasformandosi in affidabili alleati o agenti per procura, come fecero il filippino Ferdinando Marcos e Mobutu Sese Seko nello Zaire (l'odierna Repubblica Democratica del Congo). Tutto ciò presenta una notevole somiglianza con il modo in cui il tardo Impero romano riusciva a controllare la propria periferia interna.

Cnodomario e Macriano

Durante i primi tre secoli della nostra èra, le popolazioni oltre il Reno e il Danubio utilizzavano parte della loro nuova ricchezza per importare una vasta gamma di merci romane. I legami commerciali erano una delle fonti di tale ricchezza, ma non l'unica. Nel corso dei secoli, a migliaia erano tornati in patria dal servizio militare con i loro risparmi e i premi di congedo (vedi p. 54). Più in alto sulla scala sociale, le sovvenzioni di natura diplomatica venivano utilizzate sistematicamente dagli imperatori romani per sostenere i re clienti che erano disposti a governare i loro territori lungo la frontiera sostanzialmente in accordo con gli interessi di Roma. Chiamati nelle fonti di cui disponiamo «donazioni annuali», a volte assumevano la forma di raffinati tessuti e alimenti esotici oltre che di pagamenti in contanti, parte dei quali i re poi riciclavano per consolidare il loro consenso interno.

Nell'economia meno ufficiale anche le scorrerie erano endemiche (e con ogni probabilità talvolta autorizzate dagli stessi re clienti, che non avevano certo remore a fare il doppio gioco). L'economia romana, nonostante la forte espansione oltre la frontiera (vedi cap. III), restava significativamente più sviluppata di quelle delle sue periferie barbariche, e l'enorme varietà dei suoi prodotti forniva obiettivi estremamente attraenti agli occhi avidi, specialmente nella periferia interna, dove la frontiera era facile da attraversare. Nel 1967, l'estrazione di ghiaia dal letto del Reno nelle vicinanze della città romana di Spira portò alla scoperta dei beni saccheggiati da una villa romana. Verso la fine del III secolo, alcuni predoni avevano razziato la villa e tentato di riportare il bottino oltre il fiume su carri caricati su zattere. Ma queste erano affondate, probabilmente mandate a picco dalle imbarcazioni di pattuglia romane. I carri contenevano settecento chilogrammi di merci rubate di straordinario interesse, tra cui tutti gli oggetti metallici sui quali i predoni erano riusciti a mettere le mani: non soltanto vasellame d'argento proveniente dalla sala da pranzo, ma una massa di utensili da cucina compresi cinquantuno calderoni, venticinque catini e bacili e venti mestoli di ferro, per non parlare dell'intera attrezzatura agricola della villa. Ciascuno degli oggetti metallici poteva essere riutilizzato o riciclato dall'altra parte della frontiera, dove non mancava mai una funzione per i beni razziati e c'era una domanda costante di metallo. Nel IV secolo questi contatti generatori di ricchezza con il mondo romano – pacifici o meno che fossero – crescevano di intensità ormai da trecento anni, e il loro effetto rivoluzionario sui vicini di Roma stava diventando fin troppo visibile.

Nel 357 i seguaci armati di una confederazione alemanna guidata da un ambizioso «super-re» di nome Cnodomario affrontarono le forze del Cesare d'Occidente (viceimperatore) Giuliano, nei pressi dell'attuale città di Strasburgo. Gli alemanni occupavano una porzione di territorio immediatamente oltre le frontiere sull'alto Reno e l'alto Danubio, governata da una serie di principi locali su cui Cnodomario aveva stabilito una certa egemonia. Nei primi anni successivi al 350, Cnodomario aveva sfruttato una guerra civile tra imperatori per promuovere un proprio programma espansionista, impadronendosi di una fascia di territorio dal lato romano del confine. Al momento della battaglia Cnodomario aveva sotto il suo comando 35.000 uomini, Giuliano 13.000, ma gli alemanni subirono una sconfitta devastante. Il loro capo fu catturato insieme al suo seguito, e 6000 dei loro soldati morirono nello scontro, perlopiù uccisi mentre cercavano di riguadagnare l'altra sponda del Reno. I romani, a quanto riferito, persero soltanto 247 uomini. Data specialmente la somiglianza dei nomi, si potrebbe scusare chi pensasse che nulla era cambiato nei quattro secoli trascorsi dai tempi di Giulio Cesare. Il suo resoconto di prima mano delle guerre galliche della metà del I secolo a.C., i *Commentarii de bello gallico*, è pieno di confronti impari, con esiti ugualmente catastrofici per i nemici di Roma. Ciò che accadde dopo questa battaglia del IV secolo, però, illustra chiaramente quanto fosse cambiato il mondo al di là di Roma.

Nel I secolo a.C., o anche nel I d.C., una simile sconfitta avrebbe causato la distruzione totale della confederazione nemica coinvolta. Era stato così nel caso del re svevo Ariovisto, un ex alleato di Roma, la cui confederazione si era sgretolata completamente dopo la sua sconfitta per mano di Giulio Cesare nel 58 a.C., mentre del suo capo non si era mai più sentito parlare. Anche nel caso di vittoria, le alleanze dei germani tendevano a disintegrarsi. Nel 9 d.C. il capo cherusco Arminio («Hermann il Germano») riunì una confederazione che tese un agguato a tre intere legioni romane e alle loro truppe ausiliarie di supporto distruggendole – oltre 20.000 uomini – nella selva di Teutoburgo (vedi p. 53). Nonostante la clamorosa vittoria, la sua coalizione in breve si dissolse ed egli stesso fu tradito e ucciso. La spiegazione fondamentale della diffusa instabilità politica dell'originario mondo di lingua tedesca non è affatto complicata. L'area relativamente piccola dell'Europa centro-settentrionale da esso occupata (seconda zona del territorio europeo per come stavano le cose all'inizio del I secolo: vedi p. 54) ospitava a quell'epoca tra cinquanta e sessanta unità politiche distinte. Evidentemente si trattava di piccole unità, molte delle quali non erano sottoposte al controllo di capi centrali dotati di un saldo potere («re»), ma erano governate da meno rigidi consigli di capitribù. Ciò rifletteva il generale sottosviluppo economico della regione, e implicava che una stabile autorità politica su vasta scala fosse semplicemente impossibile. Potevano formarsi coalizioni, ma queste erano sempre destinate a disgregarsi – nella vittoria come nella sconfitta – una volta che i loro obiettivi immediati erano stati conseguiti.

Alla metà del IV secolo, invece, perfino una sconfitta apparentemente così catastrofica come la battaglia di Strasburgo non segnò neppure lontanamente la fine della confederazione alemanna, che in breve si riformò a livello politico e ben presto fu pronta a tornare a combattere. Nel giro di un decennio un altro esercito romano affrontò un'altra grossa forza alemanna nella battaglia di Chalons del 364. Fu un'altra vittoria di Roma, anche se questa volta con maggiori perdite: 1100 legionari morirono. E di nuovo la confederazione alemanna non si dissolse, producendo un altro autorevole «super-re» nella seconda metà del decennio, Macriano, che ben presto divenne l'oggetto principale della pressione militare e diplomatica romana. E gli alemanni non erano un'eccezione. Accadeva esattamente lo stesso molto più a est, alla foce del Danubio, dove una vasta confederazione politica, dominata dai goti tervingi, controllava la regione immediatamente a ridosso della linea di confine. I tervingi erano saliti alla ribalta negli anni successivi al 310, per poi subire una pesante sconfitta a opera dell'imperatore Costantino nel 322. Ancora una volta, però, la *débâcle* non aveva causato la dissoluzione. Sotto una serie di capi della medesima dinastia regnante, i tervingi rimasero la forza dominante nella regione. In tutta la periferia interna nel periodo tardo-romano (vedi p. 56) è evidente lo stesso mutamento complessivo. L'intricata molteplicità di capitribù e consigli documentata tra il I secolo a.C. e il I d.C. aveva lasciato il posto a un numero più ristretto di confederazioni politiche più ampie e durature con dirigenze centrali molto più forti.

In senso generale, questa maggiore stabilità politica era un prodotto della ricchezza e delle popolazioni più numerose che si erano raccolte nella periferia interna in seguito a secoli d'interazione trasformativa con l'Impero romano. Ma le prove indicano che il contatto con l'impero fu responsabile in alcuni modi più specifici della promozione di tale trasformazione politica. Nel IV secolo d.C. in ogni singolo ramo dell'antico gruppo linguistico germanico, che era predominante lungo gran parte della linea di frontiera europea, un più antico vocabolario che faceva riferimento a una leadership politica maggiormente consensuale aveva ceduto il passo a nuovi titoli derivanti da parole che indicavano il comando militare. Dove in passato i governanti avevano titoli che significavano «capi del popolo», ora erano tutti «capi di bande di guerrieri». Ci sono buone ragioni per pensare che questa non fosse una coincidenza.

Nel 1955 alcuni operai danesi, mentre scavavano un canale di scolo a Ejsbøl Mose nello Schleswig settentrionale, scoprirono, in un suo breve tratto, un sorprendente gruppo di seicento oggetti metallici. Nove anni più tardi, dopo uno scavo di millesettecento metri quadrati, gli archeologi avevano identificato un certo numero di differenti depositi gettati in quello che un tempo era stato un lago poco profondo. Il più grande era costituito dall'equipaggiamento completo databile intorno al 300 d.C. di una ben organizzata compagine militare. Ne facevano parte circa duecento lancieri (gli scavi portarono alla luce centonovantatré punte di giavellotto dentellate e altre centottantasette punte di lancia da mischia), dei quali forse un terzo era dotato anche di spade (furono ritrovati sessantatré foderi da cintura, insieme a sessanta delle spade e sessantadue dei pugnali che in origine avevano contenuto). In un primo momento gli archeologi pensarono di aver rinvenuto il più grande deposito noto al mondo di spade romane, ma la realtà era ancora più interessante. Alcune delle spade erano importate, ma la maggior parte risultò essere l'opera di produttori locali che copiavano direttamente i fabbricanti romani.

Questa scoperta, e altre analoghe, dimostrano che la nuova ricchezza creata dal contatto con l'impero non era condivisa equamente tra quanti vivevano nella sua periferia. Piuttosto, l'interazione a lungo termine aveva concentrato una maggiore ricchezza e una tecnologia militare progredita nelle mani di particolari gruppi. Le sovvenzioni di natura diplomatica, i dazi prelevati sulle merci, le paghe per il servizio militare, i profitti della tratta di schiavi (che richiedeva l'esercizio della forza), perfino il bottino delle scorrerie oltre confine: tutta questa nuova ricchezza finiva in misura sproporzionata nelle mani di chi aveva una capacità militare consolidata, in particolare nella periferia interna ma in un certo grado anche nella periferia esterna. Essa inoltre dava a quei gruppi mezzi per sviluppare ulteriormente il loro potenziale militare, sia arruolando altri guerrieri, sia acquistando armamenti superiori.

Questi sviluppi accentuavano alcune caratteristiche preesistenti della società dell'Europa centro-settentrionale. Quando Roma arrivò sulla sua soglia, questo angolo di quella che i romani chiamavano Europa barbarica era già sostanzialmente militarista e tutt'altro che egualitario. Ma i nuovi flussi di ricchezza fornivano un meccanismo di cui alcuni capi si servivano per costruire, mediante competizione interna e una prolungata corsa agli armamenti, le strutture di potere più durature che sono evidenti nelle maggiori e più consolidate confederazioni che nel IV secolo Roma doveva affrontare oltre la frontiera. A volte questo confronto aveva esiti brutali. L'equipaggiamento rinvenuto a Ejsbøl Mose era stato fatto a pezzi prima di essere gettato nel lago: un sacrificio rituale che indusse i ricercatori a supporre (ragionevolmente) che un destino analogo fosse toccato anche ai soldati che lo indossavano. Ma in altre occasioni, forse più frequenti, il confronto portava alla creazione di nuove alleanze in cui le parti più deboli accettavano la supremazia effettiva di un vicino riconosciuto più forte.

Il ragionamento qui è semplice. Tutte le nuove confederazioni di cui si ha documentazione erano alleanze tra capi militari in precedenza separati. Questo tipo di rapporto poneva molti dei partner minori in posizioni di autorità intermedia, in cui mantenevano il controllo diretto dei loro soldati. Ciononostante, l'effetto politico complessivo era drastico. Il contatto trasformativo con l'impero aveva generato processi di militarizzazione e centralizzazione politica che si rinforzavano reciprocamente, promossi da quei gruppi che nella periferia erano in posizione migliore per sfruttare le opportunità di acquisire nuova ricchezza ed equipaggiamento militare progredito dal mondo romano. Di conseguenza i rapporti tra l'Impero romano e la sua periferia nel IV secolo mutarono sostanzialmente, allontanandosi dalla «diplomazia delle cannoniere» legionarie del periodo precedente.

Le nuove confederazioni avevano cominciato a far sentire la propria presenza alla metà del III secolo, quando le loro ambizioni aggressive e la loro accresciuta potenza militare inflissero alcune perdite dirette all'impero. Questo fu il periodo in cui la Britannia settentrionale e il Belgio subirono danni tali che le densità di insediamento in quelle aree non riuscirono a riprendersi neppure nell'Età dell'oro del IV secolo (vedi p. 28). Le ville romane erano grandi tenute di campagna indifese, e quindi, se la sicurezza veniva meno in un qualsiasi settore della linea di frontiera, erano sempre un bersaglio privilegiato della confederazione d'oltre confine, con il conseguente sconvolgimento economico localizzato nella regione coinvolta nel momento in cui queste proprietà agricole cessavano di funzionare. Da un punto di vista propriamente strategico, l'aumento della potenzialità militare delle confederazioni impose anche degli aggiustamenti alla posizione delle linee di frontiera. Alcune aree che erano avviate a raggiungere lo status di provincia romana a pieno titolo si videro declassare a periferia interna in seguito al ritiro delle truppe e dell'amministrazione romane. La singola perdita più rilevante fu la Dacia transilvanica oltre il Danubio; ma anche l'estremità settentrionale della Britannia romana al di là del Vallo di Adriano fu abbandonata, così come gli *Agri decumates*, una regione compresa tra l'alto Reno e il Danubio che venne occupata dagli alemanni. Questi territori furono ceduti a fronte della crescente pressione militare esterna esercitata dalle nuove confederazioni su tutta la linea di frontiera, ma l'atto finale in ciascun caso sembra essere stato un ritiro calcolato dei soldati e degli amministratori romani.

Al tempo stesso le nuove confederazioni della periferia interna offrivano a Roma anche alcune utili opportunità. Nel IV secolo l'impero attingeva regolarmente alla loro capacità militare: contingenti alleati forniti dai goti tervingi servirono in tre distinte campagne imperiali contro la Persia, mentre analoghi gruppi di guerrieri alemanni e franchi furono arruolati per le campagne sul Reno degli imperatori d'Occidente. Tali contingenti andavano pagati (mettendo ulteriore ricchezza nelle mani dei gruppi militari dominanti) e sebbene i numeri coinvolti non fossero enormi, erano comunque molto più economici del reclutamento di altri soldati romani, dato che tornavano in patria dopo ogni campagna. Nondimeno, una volta effettuati i necessari aggiustamenti, la Roma del IV secolo era in grado di affermare e mantenere una netta egemonia, a dispetto dei più elevati livelli di organizzazione militare e politica che si possono osservare nell'ambito delle nuove confederazioni.

Come Cnodomario scoprì a sue spese, nessuna delle nuove confederazioni era abbastanza forte da sfidare apertamente la potenza militare di Roma. Anche dove le tensioni si acuivano, come periodicamente accadeva, dato che gli ambiziosi «super-re» guerrieri avevano propri programmi politici, i confronti militari pianificati come quello di Strasburgo rimanevano rari. Quanti vivevano a ridosso delle frontiere erano ben consapevoli dell'esito probabile, e tendevano a non spingere la propria resistenza al punto del confronto aperto (anche se potevano incoraggiare un po' di illecite scorrerie, traendone vantaggio). In generale, quindi, l'andamento dei rapporti sulle frontiere europee dell'impero seguiva uno schema differente. Verso la fine del III secolo e nel IV, più o meno ogni venticinque anni (all'incirca a ogni generazione politica), gli imperatori intraprendevano spedizioni su vasta scala al limite esterno di ciascuno dei quattro settori principali della linea di frontiera europea (basso Reno, alto Reno, medio Danubio e basso Danubio).

Accadeva allora che alcuni dei vicini meno fortunati dell'impero vedessero bruciare le proprie case in campagne di terrore, mentre gli occupanti venivano radunati e venduti come schiavi. Di solito questa dimostrazione iniziale di potenza militare era sufficiente a far sì che i signori della guerra locali si presentassero per atti di formale sottomissione. L'imperatore usava poi questi momenti di massima influenza politica per riorganizzare la struttura di potere della confederazione locale conformemente agli interessi romani. La durata media del nuovo assestamento veniva prolungata prelevando ostaggi d'alto rango, che venivano portati a corte per ricevere un'educazione romana, e assicurando a quanti si allineavano accordi commerciali di grande valore nonché donazioni e sussidi diplomatici annuali, che davano ai partner subordinati ogni ragione di salvaguardare la nuova realtà di fatto. Il ricorso al bastone e alla carota era in genere sufficiente a mantenere una pace approssimativa su qualunque settore della frontiera per i decenni successivi, mentre un re troppo ambizioso aveva buone probabilità di vedersi togliere di mezzo mediante il rapimento o l'assassinio mirato (il che ancora una volta fa inevitabilmente pensare a Salvador Allende).

Ciò non significa che tutto filasse liscio. Simili sistemazioni minimizzavano ma non eliminavano le scorrerie oltre frontiera. Inoltre, differenti regimi imperiali a volte modificavano arbitrariamente la miscela di misure politiche per perseguire propri programmi. Negli anni successivi al 360 Valentiniano I, volendo apparire duro con i barbari, ridusse unilateralmente le sovvenzioni annuali agli alemanni e iniziò a costruire forti dove si era convenuto che non ce ne sarebbero stati. Il risultato fu una grave esplosione di violenza di frontiera, nonostante la recente (ed efficace) sottomissione della regione di confine dell'alto Reno da parte di Giuliano, dopo la battaglia di Strasburgo. Anche gli eventi esterni potevano forzare la mano di un imperatore. Verso la fine del decennio, la principale preoccupazione di Valentiniano sull'alto Reno era diventata, come abbiamo visto, l'ascesa di un nuovo «super-re» alemanno: Macriano. L'imperatore prima cercò di organizzare il suo assassinio, poi inviò una squadra specializzata in sequestri per rapirlo. Nessuno dei due tentativi ebbe successo, e quando problemi altrettanto seri si presentarono su un diverso settore della frontiera, Valentiniano fu costretto a cambiare linea. Macriano fu invitato a un vertice su una nave in mezzo al Reno e i due raggiunsero un accordo: Valentiniano riconobbe lo status di Macriano come «super-re» degli alemanni, e gli garantì condizioni favorevoli, in cambio delle quali questi mantenne la pace sulla frontiera e diresse le sue mire espansionistiche verso i vicini settentrionali franchi.

Tutti questi, comunque, non erano che incidenti relativamente secondari. Le nuove confederazioni politico-militari avevano imposto uno slittamento generale della politica imperiale in direzione della diplomazia manipolativa, ma Roma manteneva la sua posizione dominante. I signori della frontiera volevano sfruttare al meglio la loro posizione, ma pochi osavano sfidare direttamente l'imperatore. Lo sviluppo della periferia imponeva alcune limitazioni all'esercizio del predominio di Roma, ma non lo rovesciava. Perfino l'ambizioso Macriano era così compiaciuto del suo speciale accordo da rimanere un alleato affidabile per il re-

sto della vita. Molto tempo dopo, il mutato modo di esercitare il potere da parte di Roma sarebbe riecheggiato con
forza nelle vicende del XX secolo.

Via dall'India (e dall'Africa...)

Verso la fine del XVIII secolo e nel XIX, il potere monar-
chico caratteristico dell'Impero occidentale nella sua fase
emergente fu messo in discussione e in parte rovesciato da
una nuova dottrina. La quale sosteneva che l'autorità non
veniva dall'alto, ma dal basso, ovvero dal popolo che costituiva la nazione. In breve incoraggiò molti coloni americani a liberarsi del controllo imperiale diretto britannico (ma
anche spagnolo e portoghese), e la popolazione francese a
sollevarsi contro i propri monarchi. In seguito il nazionalismo fornì la giustificazione ideologica per ulteriori periodiche agitazioni politiche in tutta Europa durante l'intero
XIX secolo e la prima parte del XX. Tale ideologia avrebbe
preso piede anche presso molte delle popolazioni che vivevano sotto il dominio coloniale delle potenze europee: non
da ultimo nel gioiello della corona imperiale britannica.

L'imperialismo europeo provocò sempre resistenza a livello locale, e la sua fase di grande espansione nel XIX secolo non fu un'eccezione sotto questo punto di vista. Le guerre zulu, il «Mahdi» pazzo del Sudan, la rivolta dei Boxer,
la guerra di resistenza di Diponegoro nella Giava olandese, la lotta di Samori Touré contro i francesi nell'Africa occidentale, e si potrebbe continuare. Queste sollevazioni inflissero sempre delle perdite, talvolta gravi, ma in generale
andarono incontro allo stesso destino dell'attacco di Boudicca al potere romano in Britannia, e più o meno per la
medesima ragione. Le forze che si opponevano all'espansione imperiale erano relativamente piccole, tecnologicamente meno evolute e deboli sotto il profilo amministra-
tivo. Dopo le loro inevitabili sconfitte, le élite precoloniali
di solito si dissolvevano nell'irrilevanza politica, mentre il
loro posto veniva preso da nuovi gruppi che padroneggia-
vano con successo le pratiche e le tecnologie dell'impero,

e a volte anche elementi della cultura e della retorica del suo nucleo europeo: non ultimo il richiamo dell'indipendenza nazionale.

Uno dei primi movimenti nazionalisti coloniali sorse in India verso la fine del XIX secolo. Secondo uno schema che si ripeteva spesso anche altrove, ebbe origine nei club e nei salotti (in parte copiati da modelli coloniali) dove si riuniva una classe media indigena. Nell'India britannica, come in molti territori della periferia interna, viveva una comunità relativamente numerosa di coloni e amministratori europei, che però, in proporzione alla popolazione totale, rappresentava solo il minuscolo vertice di una piramide di potere formata quasi completamente da personale locale. Il costo, sia in termini di denaro sia in termini di manodopera, del trasporto di un intero apparato di amministrazione coloniale dalla «madrepatria» avrebbe reso l'impresa economicamente impraticabile. La Gran Bretagna inviava in India solo i funzionari e gli ufficiali più alti in grado, reclutando il resto del personale e della dirigenza intermedia a livello locale, a un costo assai inferiore. È così che il Regno Unito riusciva a controllare trecento milioni di indiani con soli quattromila impiegati statali, e che parecchi milioni di persone nell'Africa occidentale potevano essere governate da dieci funzionari francesi. Perciò, e per garantirsi una posizione di superiorità che in origine era stata stabilita con la violenza e l'intimidazione, l'amministrazione britannica, come la maggior parte delle altre amministrazioni imperiali in molte aree della periferia colonizzata, operava in effetti come un sistema di caste, in cui il vertice del prestigio sociale e del potere era riservato agli europei. Questi ricreavano alcune delle istituzioni della madrepatria, come i club e le scuole che punteggiavano Bombay, e in qualche caso arrivavano ad assimilare nelle proprie file membri dell'élite locale. Ma nelle società coloniali non c'era mai il minimo dubbio su chi detenesse il potere reale.

Inizialmente gli uomini d'affari di Bombay si mantenevano a una distanza circospetta dal proliferare dei discorsi nazionalisti. Questi erano perlopiù appannaggio del ceto emergente degli intellettuali indiani di classe media, che in parte coincideva con i livelli superiori degli amministratori indigeni. Nella sua maggioranza, la comunità degli affari indiana manteneva un atteggiamento pragmatico, mostrando scarso impegno ideologico nella ribollente causa nazionalista dato che la sua prosperità derivava dalle reti commerciali dell'impero. Non facevano eccezione i Tata, ormai tra le famiglie più dinamiche e di successo di Bombay. Pur essendo personalmente vicino ad alcuni dei principali ispiratori e organizzatori dell'Indian National Congress, lo stesso Jamsetji Tata preferiva volare a bassa quota in modo da sfuggire al radar politico, volendo lavorare con l'amministrazione coloniale. Il successo di Tata nei circoli più influenti fu tale da garantire a lui e ai suoi figli un ingresso trionfale nel cuore dell'impero: Dorabji andò a Cambridge, e come il fratello Ratan ottenne in seguito il titolo di cavaliere.

Considerata a lungo termine, però, la posizione politica dei Tata ricorda più da vicino quella dei sovrani-clienti della periferia interna della Roma del IV secolo, i cui figli venivano spesso portati a corte come ostaggi, che non quella degli Ausoni o dei Vanderbilt che si integravano pienamente nella classe di governo imperiale. I figli presi in ostaggio ricevevano un'educazione romana ed erano trattati con ogni possibile cortesia, ma soltanto finché reggeva l'accordo diplomatico del momento. A differenza di quanto valeva per gli Ausoni o i Vanderbilt, il matrimonio nell'ambito dei gruppi sociali superiori dell'impero non era un'opzione, tanto per i principi degli alemanni quanto per i Tata, che, come gli sviluppi successivi si sarebbero incaricati di chiarire, erano ben accetti nel recinto imperiale soltanto finché non minacciavano gli interessi di quanti erano molto più vicini al centro del potere.

Verso la fine del XIX secolo i proprietari di fabbriche di Bombay stavano cominciando a configurarsi come potenziali rivali agli occhi dei loro colleghi del Lancashire. Di conseguenza, membri della comunità d'affari indiana che si erano considerati cittadini su un piede di parità entro un grande sistema imperiale scoprirono che alcuni degli attributi essenziali della «britannicità» non valevano per loro. Il nazionalismo dello stesso Tata, per esempio, fu inizialmente destato nel 1894, quando la Gran Bretagna impose un dazio sul cotone indiano, motivo per cui l'industriale si lamentò amareggiato, anche se solo in privato con i colleghi, del «falso imperialismo che aveva riguardi soltanto per gli inglesi».

Nondimeno, ancora per qualche decennio il nazionalismo continuò a esercitare un'attrattiva più forte tra gli intellettuali e i dipendenti pubblici indiani, che affrontavano ostacoli più immediati frapposti alla loro ambizione personale, dal momento che il potere politico era pur sempre in ultima analisi riservato a funzionari provenienti dalla madrepatria. I leader nazionalisti privi di interessi consistenti nel mondo degli affari si sentivano più liberi di flirtare con ideologie radicali. Non faceva eccezione l'Indian National Congress, che attraeva un buon numero di socialisti, i quali, dopo la Prima guerra mondiale, guardavano al modello turco di capitalismo guidato dallo stato e alla pianificazione centralizzata sovietica. E a mano a mano che il Congresso si radicalizzava, il mondo degli affari di Bombay temperava il proprio sostegno, incoraggiato da un'amministrazione coloniale che cercava di procurarsi amici dovunque fosse possibile.

Ma negli anni Trenta, anche sotto l'influenza di leader più conservatori con legami più stretti con le principali famiglie imprenditoriali indiane, il Congresso tornò ad attenuare la sua retorica socialista. Ciò accadde esattamente nel momento in cui il governo imperiale stava incrementando le politiche protezionistiche in favore degli industriali del Lancashire, che erano alle prese con la Grande depressione. La coincidenza cementò definitivamente i legami tra il mondo degli affari indiano e il Congresso, segnando l'inizio di una grande amicizia. Il Congresso si garantì il sostegno finanziario per le proprie campagne politiche, mentre il mondo degli affari prefigurava il futuro raccolto di vantaggi derivanti dalla politica industriale a guida statale che il Congresso stava già progettando per il giorno dell'indipendenza del paese.

L'India era sede di un'antica civiltà con formidabili tradizioni culturali indigene che, specialmente una volta mobilitata al fianco dei profitti dell'impero accumulati dalle sue comunità d'affari, fu in grado di generare assai presto un efficace movimento nazionalista. Ma i caratteri essenziali di tale movimento erano un dato ricorrente della rinnovata agitazione anticoloniale che stava attraversando ampi settori dei vecchi imperi europei alla metà del XX secolo. In buona parte questa era animata da ceti professionali indigeni, spesso composti di dipendenti e dirigenti pubblici istruiti ma strutturalmente subordinati, che cercavano di infrangere il soffitto di vetro che bloccava la loro ascesa verso il vertice. In contesti della periferia interna, ceti d'affari sempre più prosperi ma ancora parzialmente marginalizzati rappresentavano alleati naturali, che si aspettavano i profitti che, dopo l'indipendenza, politiche governative favorevoli avrebbero potuto indirizzare verso di loro.

Sul lungo periodo, quindi, le periferie interne sia del sistema imperiale romano antico sia di quello occidentale moderno conobbero situazioni analoghe di turbolenza politica, rispettivamente alla metà del IV secolo e nel periodo tra le due guerre del XX. Anche se non certo sulla scala delle province pienamente affrancate che alla fine entrarono a far parte del nucleo imperiale originario, nelle periferie interne sia antiche sia moderne confluì nelle mani di particolari gruppi nuova ricchezza a sufficienza per generare un mutamento irresistibile nelle configurazioni esistenti del potere politico: sia nelle periferie stesse, sia nell'equilibrio complessivo di potere tra tali periferie e il centro imperiale. La nuova ricchezza riconfigura sempre gli equilibri di potere esistenti, facendo emergere nuovi blocchi di potere dotati della capacità non meno che dell'esigenza di affermare i propri interessi.

Nell'epoca romana, in cui la potente classe sociale dominante nella periferia era già sostanzialmente militarizzata, il legame tra ricchezza e potere era assai diretto. Accaparrarsi una percentuale significativa della nuova ricchezza che si accumulava nella periferia presupponeva l'applicazione della forza esistente, ma comportava anche l'ulteriore aumento della capacità militare, rendendo possibile per i leader di successo mantenere più guerrieri e dotarli dell'equipaggiamento superiore reso disponibile dai contatti con il mondo romano. Nel XIX secolo e all'inizio del XX, a dare potere alle élite indigene emergenti era una combinazione di ricchezza, nuove ideologie assai determinate e competenza amministrativa.

Ma l'effetto politico complessivo era paragonabile: il processo portava in primo piano nuove forze indigene che erano meglio in grado di contrapporsi all'esercizio costante del potere imperiale diretto. E se la capacità militare non era così centrale per il moderno processo di evoluzione politica nella periferia com'era stata per quello antico, è pur vero che due guerre mondiali svolsero un ruolo catalitico diretto nei movimenti nazionalisti per l'indipendenza della moderna periferia interna. Durante questi periodi di conflitto senza precedenti, i governi imperiali erano preoccupati dagli eventi in corso in Europa e al tempo stesso attingevano massicciamente alle loro risorse coloniali. In entrambe le guerre, per esempio, la Francia inviò parecchie centinaia di migliaia di sudditi dalle sue colonie africane sui campi di battaglia, mentre la Gran Bretagna reclutò oltre due milioni di soldati soltanto in India.

Il temporaneo indebolimento *de facto* del controllo imperiale tra il 1914 e il 1918 si verificò in una fase in cui i movimenti nazionalisti erano perlopiù ancora allo stato embrionale. Ma al momento dello scoppio della Seconda guerra mondiale molti movimenti nazionalisti erano abbastanza consolidati da sfruttare i problemi con cui era alle prese il centro imperiale: e questo in India più che in qualsiasi altro luogo. Già negli anni Trenta il Mahatma Gandhi in particolare aveva contribuito a fare del movimento dell'Indian National Congress una forza con un'ampia base, coerente e ben organizzata, capace di attuare quell'ampia anche se pacifica protesta civile che caratterizzò, per esempio, la famosa

Marcia del Sale del 1930. Lunga ventiquattro giorni e quasi quattrocento chilometri, la Marcia del Sale sfidò il controllo monopolistico dell'amministrazione imperiale sui rifornimenti di sale, mancando i suoi obiettivi immediati ma in definitiva riuscendo a trasformare il movimento per l'indipendenza in una causa popolare dotata di ampia base, oltre a guadagnare considerevoli simpatie all'estero. Per quanto volesse ignorare Gandhi, che liquidava in modo sprezzante come un «fachiro mezzo nudo», Winston Churchill non ebbe altra alternativa che negoziare con lui e il movimento che aveva suscitato.

Su questo sfondo di una periferia interna che stava già diventando più determinata, la crisi dell'ordine imperiale globale causata dalla Seconda guerra mondiale diede un contributo decisivo alla spinta verso l'indipendenza nelle colonie. Dopo il secondo massiccio conflitto nell'arco di una generazione, i vecchi imperi europei facevano i conti con livelli colossali e senza precedenti di debito pubblico, e avevano la necessità sia di sostanziosi piani di salvataggio per finanziare la ricostruzione all'interno, sia di ridurre le loro spese annuali. Ma l'unica fonte disponibile di denaro erano gli Stati Uniti. L'America era in linea di principio disposta a fornire fondi, ma – come si addiceva alla sua storia di prima colonia a liberarsi dal dominio imperiale europeo – non era assolutamente intenzionata a finanziare quelle che considerava ambizioni imperiali superate. Insieme alla loro rivale, l'Unione Sovietica, gli Stati Uniti avevano sostenuto per decenni il principio dell'autodeterminazione contro il diritto di conquista che era alla base dell'eredità coloniale europea (purché, naturalmente, quelli che aspiravano all'autodeterminazione non si trovassero nel cortile di casa dell'America).

Britannici, francesi e olandesi volevano tutti mantenere i loro imperi, e in alcuni casi entrarono in guerra per riprendersi (o tentare di riprendersi) colonie che spingevano per l'indipendenza. Tuttavia, dopo il 1945, si resero conto che il bilancio di costi e benefici – in parte finanziari, in parte ideologici – si era ormai modificato fortemente a sfavore del mantenimento del controllo diretto di vasti insiemi di colonie. I movimenti nazionalisti autoctoni adesso erano maggiormente in grado di mobilitare un adeguato sostegno tra le popolazioni locali, adducendo i recenti contributi allo sforzo bellico imperiale collettivo come giustificazione per rendere molte delle colonie dell'Occidente sempre più difficili e quindi dispendiose da governare. Inoltre il denaro americano si faceva sentire. I quindici miliardi di dollari del Piano Marshall che l'America distribuì oculatamente (equivalenti a una somma circa dieci volte maggiore in denaro odierno), integrati da cospicui investimenti privati in Europa e dall'accesso senza restrizioni ai mercati americani, erano essenziali per i paesi europei intenzionati a rimettere in piedi le loro economie distrutte. Si aggiunga a tutto ciò la decisa non cooperazione americana al protrarsi di avventure coloniali come il tentativo britannico e francese di riprendersi il Canale di Suez dall'Egitto nel 1956, e il destino dell'imperialismo europeo vecchio stile era segnato. Più o meno volontariamente, e più o meno pacificamente, le potenze occidentali nei decenni successivi al 1945 trasferirono il controllo diretto delle loro colonie a élite locali che si erano rafforzate durante l'èra imperiale.

Ma per quanto questo processo storico sembri adeguarsi a un'ottimistica narrazione dell'eccezionalismo americano, secondo la quale la prima nazione a liberarsi del giogo dell'imperialismo britannico avrebbe poi aiutato le altre a fare altrettanto, questa è soltanto una faccia della medaglia. In realtà, il processo di decolonizzazione formale non rappresentò tanto la fine dell'imperialismo occidentale quanto la sua riespressione in una forma nuova e altamente creativa. Proprio come il sistema imperiale romano aveva adattato il suo funzionamento in modo da tener conto delle confederazioni più potenti che la sua stessa azione aveva generato, continuando comunque a esercitare il controllo fondamentale, anche il sistema imperiale dell'Occidente, pur nel mezzo della decolonizzazione, continuò a dominare, tramite nuovi meccanismi, la maggior parte della sua vecchia periferia coloniale. La struttura istituzionale alla base di questa fase culminante dell'imperialismo occidentale emerse da prolungate discussioni, presiedute dagli americani, in una cittadina del New Hampshire nell'estate del 1944.

Bretton Woods

Nel luglio di quell'anno, mentre le forze alleate combattevano per uscire dalla testa di ponte della Normandia e la Seconda guerra mondiale entrava nella sua fase finale, il governo statunitense riunì i suoi alleati nella cittadina turistica di Bretton Woods. Lo scopo era quello di delineare un piano per l'architettura finanziaria del mondo postbellico. Due uomini dominavano la scena: John Maynard Keynes rappresentava la Gran Bretagna, e Harry Dexter White gli Stati Uniti.

Lavorando con calma insieme nel corso dei due anni precedenti, i due avevano raggiunto un ampio accordo su molte questioni, ma si erano arenati su un importante punto di dissenso. Entrambi convenivano sulla necessità di un'unica valuta di riferimento in cui sarebbe stato condotto tutto il commercio mondiale, in modo da promuovere una fluidità di cambio molto maggiore rispetto agli anni della depressione anteguerra, e sul fatto che tale valuta dovesse essere agganciata all'oro per garantire stabilità e fiducia. Ma Keynes voleva ristabilire lo *status quo ante* nella misura massima possibile. Se la Gran Bretagna avesse mantenuto il suo impero, le sue colonie avrebbero condotto il loro commercio estero in sterline, e avrebbero depositato le loro riserve a Londra, contribuendo a preservare il ruolo di vecchia data della sterlina come una delle principali valute di riserva del mondo. Ciò avrebbe avuto l'ulteriore vantaggio di mantenere basso il costo dei prestiti nel Regno Unito, dilatando la massa di denaro nel sistema bancario britannico, e consentendo al paese di fondarsi sulle proprie risorse per finanziare la ricostruzione postbellica. White, però, volendo spostare il centro della finanza globale negli Stati Uniti, caldeggiava i meriti del dollaro americano. Per fornire la necessaria garanzia, propose di agganciare il suo tasso di cambio alla riserva di lingotti d'oro detenuta nel deposito blindato statunitense di Fort Knox, che all'epoca custodiva all'incirca i quattro quinti delle riserve auree del mondo.[1]

Alla fine, ebbe la meglio White. Non aiutò Keynes il fatto che la sua salute stesse venendo meno, ma le carte non erano comunque a suo favore. L'America stava effettivamente pagando gran parte dei conti immediati della guerra, e godeva inoltre di un vantaggio strutturale temporaneo ma enorme. Data la generale distruzione della base economica dell'Europa, al termine della guerra agli Stati Uniti facevano capo un terzo del prodotto totale del mondo e metà della sua produzione industriale. Ciò significava che tutti erano ansiosi di mettere le mani sulle merci americane, specialmente sui beni strumentali di cui avevano bisogno per ricostruire le loro case, le fabbriche e le infrastrutture. Ciò a sua volta richiedeva di procurarsi così tanti dollari che ben presto i vari paesi trovarono più conveniente effettuare le stesse transazioni d'affari tra loro in tale valuta, anche dopo che le loro economie ebbero cominciato a riprendersi.

Gli accordi di Bretton Woods che ne derivarono crearono una serie di istituzioni volte ad assicurare che l'economia globale postbellica operasse con la quantità minima possibile di limitazioni sul commercio e i flussi di capitale, garantendo al tempo stesso la continuazione del dominio delle potenze occidentali. In primo luogo, il GATT (General Agreement on Tariffs and Trade, Accordo generale sulle tariffe e il commercio) impegnava gli stati membri a un regime di riduzione delle tariffe doganali destinato a impedire che il mondo tornasse alle economie chiuse degli anni della depressione, riducendo gradualmente la misura in cui i governi potevano tassare le importazioni. In secondo luogo, fu creato il Fondo monetario internazionale (FMI), in cui gli stati membri avrebbero versato contributi annui allo scopo di fronteggiare i momenti difficili. Nel caso in cui fossero andati incontro a squilibri a breve termine della bilancia dei pagamenti (importando più di quanto esportavano e rimanendo così a corto di dollari), avrebbero potuto attingere al fondo per averne aiuti. E se le loro difficoltà di pagamento si fossero dimostrate più ingestibili, l'FMI sarebbe intervenuto come creditore di ultima istanza, offrendo prestiti più sostanziosi in cambio dell'applicazione di un insieme prescritto di rimedi finanziari. Non occorre dire che il fondo non era concepito per finanziare utopie socialiste. Il parto finale della conferenza fu la Banca mondiale. Destinata in origine a sostenere la ricostruzione dell'Europa devastata dalla guerra, la banca rivolse ben presto l'attenzione allo sviluppo capitalistico nella periferia, a mano a mano che i nuovi stati emersi dalla decolonizzazione postbellica cominciavano a bussare alla sua porta. A completare il nuovo ordine mondiale, nel 1945 – indipendentemente dal regime finanziario di Bretton Woods – furono create le Nazioni Unite. In questo modo venne consolidato il predominio delle potenze alleate, e, affinché non vi fossero dubbi sull'identità del nuovo centro dell'impero, il loro quartier generale venne situato a New York.

Soltanto due anni dopo la conclusione della guerra, l'India proclamò l'indipendenza, dando il via alla decolonizzazione in ogni parte degli imperi britannico, francese e olandese. Ma mentre poche di queste nuove nazioni postcoloniali avevano partecipato alla conferenza di Bretton Woods,[2] quasi tutte diedero l'adesione alle sue strutture istituzionali. A parte la legittimità che i loro governi ricavavano dal disporre dei seggi alle Nazioni Unite, o dal divenire azionisti dell'FMI e della Banca mondiale, la maggior parte del capitale d'investimento disponibile di cui avevano bisogno per finanziare i propri ambiziosi progetti di sviluppo andava trovato in Occidente. L'Unione Sovietica, in realtà, tentò di creare un blocco economico rivale comunista – il Consiglio per la mutua assistenza economica, o COMECON –, ma questo disponeva di fondi troppo scarsi per offrire una significativa assistenza pratica ai suoi stati membri. I mercati occidentali, invece, erano centri della domanda ricchi e in espansione, e una volta che le rispettive economie si furono rimesse in piedi, negli anni Cinquanta e Sessanta, tornarono ad avere ampie disponibilità. Molti dei nuovi governi sorti nella periferia, rifiutando naturalmente l'eredità del dominio imperiale, adottavano la retorica del non allineamento. In pratica, la necessità economica li teneva saldamente radicati nel campo occidentale.

Oltre alla considerevole influenza che le potenze occidentali potevano esercitare individualmente su questi nuovi stati – tramite l'aiuto finanziario, l'azione diplomatica, le attività clandestine volte a sostenere o a ostacolare un governo, e la pressione militare come nel caso del blocco dei porti –, collettivamente le potenze occidentali potevano condizionare ancora più pesantemente i governi del mondo in via di sviluppo perché si mettessero in riga. Le decisioni nell'Assemblea generale delle Nazioni Unite venivano prese in base al principio «un-paese-un-voto», che favoriva la pletora dei nuovi stati, ma i voti in seno al Consiglio di sicurezza, che poteva autorizzare l'uso della forza, erano soggetti al veto dei suoi cinque membri permanenti: Stati Uniti, Unione Sovietica, Francia, Cina (rappresentata fino al 1971 dal governo di Taiwan) e Gran Bretagna. Cosa ancora più importante, le votazioni in seno all'FMI e alla Banca mondiale erano condotte come nelle aziende private, con l'entità della quota azionaria detenuta a determinare il peso nelle decisioni. Gli Stati Uniti, in quanto maggior contribuente, disponevano di quasi un quarto dei voti e, nel loro insieme, le potenze occidentali controllavano tutte le decisioni chiave. Esse non sempre erano d'accordo, come testimonia il fiasco del 1956 a Suez, e l'esatta natura dei rapporti con la Cina o l'Unione Sovietica variava da un paese occidentale all'altro. Ma sui principi essenziali che presiedevano all'economia politica globale – libertà di commercio, proprietà privata, scambi di mercato – facevano causa comune.

Fondamentalmente, Bretton Woods istituzionalizzò un ordine commerciale mondiale in cui il flusso netto di risorse globali continuava a muoversi dalla vecchia periferia imperiale dell'economia planetaria verso il suo centro imperiale in Occidente. Lo schema prevalente dello sviluppo mondiale, quale si presentava nel 1945, comportava che l'attività manifatturiera rimanesse in un primo tempo fortemente concentrata nell'Occidente sviluppato. Un regime di libero scambio dei manufatti consentiva così alle aziende occidentali di dominare i mercati mondiali dei prodotti industriali, dato che qualunque nuova impresa della periferia avrebbe avuto difficoltà a competere con le aziende assai più sviluppate e meglio capitalizzate che esercitavano un saldo controllo sulla tecnologia manifatturiera. In linea di principio, i paesi in via di sviluppo sarebbero stati potenzialmente in grado di far crescere le loro economie esportando prodotti agricoli e materie prime verso l'Occidente. Ma siccome gli agricoltori nei paesi occidentali costituivano una base elettorale estremamente importante, il cui credito era stato rafforzato dalle recenti esperienze di fame durante la Seconda guerra mondiale, gli accordi GATT originali non avevano liberalizzato nella stessa misura il commercio dei prodotti agricoli. Pertanto, gli industriali nella periferia avevano difficoltà a competere in patria con le importazioni dall'Occidente, mentre gli agricoltori incontravano considerevoli ostacoli nell'aumentare la loro quota di mercato tra i consumatori occidentali.

Nello stesso periodo, il passaggio al dollaro come unità di conto dava seguito allo spostamento del centro dell'economia mondiale dalla Gran Bretagna all'America. Londra rimaneva uno dei principali poli bancari del mondo, ma la sua posizione all'apice della finanza globale fu ben presto ceduta a New York.[3] Nel 1945 quasi nove decimi delle riserve mondiali in valuta estera erano denominati in sterline, e quindi depositati nelle banche britanniche (dato che soltanto banche registrate in Gran Bretagna potevano fornire servizi di conto in valuta britannica). Nel corso dei venticinque anni successivi tale frazione si ridusse a meno di un decimo, mentre il posto della sterlina veniva preso in larga misura dal dollaro statunitense, che nel 1970 totalizzava circa i tre quarti delle riserve mondiali.

A mano a mano che le riserve depositate nelle banche di New York aumentavano, cresceva la massa di risparmi disponibile per l'economia statunitense. Tutto questo denaro giacente sui conti bancari americani doveva essere fatto fruttare, dato che i governi che li detenevano ricevevano degli interessi. Buona parte di esso veniva prestato allo stato americano, e, siccome il suo governo non aveva bisogno di offrire condizioni particolarmente generose per attrarre fondi a sufficienza, l'effetto complessivo era di mantenere bassi i tassi di interesse in tutto il sistema bancario statunitense. Meglio ancora, l'economia americana ora fruiva di quello che di fatto era un sussidio annuale da parte del resto del mondo. Sebbene in linea di principio qualunque governo che detenesse dollari USA nelle sue riserve potesse chiedere al governo americano di cambiarli nell'equivalente in oro di Fort Knox (al tasso fisso di 35 dollari l'oncia, ossia di circa 1,125 dollari al grammo), in pratica pressoché tutti i governi, compresi quelli comunisti, di rado si davano la pena di farlo: era più semplice lasciar stare quei dollari sui conti bancari statunitensi piuttosto che trasportare tutto quel pesante oro nei loro caveau in giro per il mondo, dove, oltretutto, avrebbero dovuto custodirlo. Quando i governi commerciavano tra loro, bastava che trasferissero i loro dollari tra i rispettivi conti bancari statunitensi, cosa molto più rapida e semplice che trasferire fisicamente l'oro.

Questo determinò una situazione in cui qualunque paese che avesse bisogno di procurarsi dollari USA doveva produrre qualcosa da poter vendere, mentre gli Stati Uniti potevano, se necessario, stampare semplicemente più denaro. Lo fecero allegramente, creando, nel quarto di secolo successivo alla guerra, circa tre volte più dollari di quanti le loro riserve auree ne potessero garantire.[4] In sostanza, il Tesoro statunitense dava agli altri governi l'equivalente di cambiali, che essi finivano per tenersi piuttosto che incassarle. Con il tempo, quando divenne evidente che tutti erano ben contenti di accumulare queste cambiali virtuali e di scambiarle tra di loro, per il Tesoro venne meno qualsiasi necessità di riscattarle, potendo limitarsi a farle saltar fuori dal nulla. Sebbene gli altri governi a volte si lamentassero di questo «privilegio straordinario», nessuno sollevava serie obiezioni. I governi periferici non potevano farci granché – avendo di solito bisogno di valuta forte più di chiunque altro –, mentre gli altri governi occidentali in ultima analisi traevano beneficio dai massicci investimenti postbellici delle aziende americane in Europa. In effetti, ciò che gli altri paesi occidentali davano agli Stati Uniti veniva loro restituito. Ma dal momento che gli investimenti americani nella periferia erano assai più limitati nei decenni successivi alla guerra, erano realmente i paesi periferici a perderci: di fatto davano gratis agli Stati Uniti i loro prodotti, che poi venivano messi in circolazione in tutto il nucleo centrale dell'economia mondiale.

A parte questi particolari vantaggi per gli Stati Uniti, tutte le ex potenze imperiali traevano beneficio dal flusso netto unidirezionale di ricchezza globale dopo il 1945, mentre scaricavano i costi dell'amministrazione politica coloniale sui nuovi stati indipendenti creando (per sé stesse) una situazione comunque vantaggiosa. Le misure prese da molti dei nuovi stati per incrementare il proprio sviluppo economico poi intensificavano inconsapevolmente il flusso. Optare, come fecero molti di quei paesi, per strategie di industrializzazione volte a tagliare nel lungo termine il bisogno di importare tanti prodotti manifatturieri occidentali richiedeva che i paesi in via di sviluppo acquistassero tecnologia occidentale e aumentassero le loro esportazioni di materie prime per coprirne il costo. Ciò gonfiava il mercato per le esportazioni occidentali e al tempo stesso manteneva basso il prezzo del cibo e delle materie prime d'importazione. Il controllo politico imperiale era formalmente scomparso, ma un sistema economico imperiale (o, come spesso era chiamato, neocoloniale) continuava a funzionare, avvantaggiando materialmente il centro. Di conseguenza il rapporto tra «l'Occidente e il resto del mondo» per quanto riguardava i redditi pro capite salì, da circa 30 a 1 nel 1950, a circa il doppio alla fine del secolo. La decolonizzazione formale non aveva neppure lontanamente annunciato la fine del dominio globale dell'Occidente. Il funzionamento pratico del sistema di Bretton Woods non soltanto ridefinì l'Impero occidentale come un club di nazioni privilegiate con alla testa gli Stati Uniti, ma consentì a questi ultimi di arricchirsi ulteriormente nel dopoguerra continuando ad appropriarsi dei frutti di quello che rimaneva un ordine commerciale e finanziario profondamente coloniale.

L'indipendenza politica recentemente acquisita dai molti nuovi stati del mondo non era una finzione, tutt'altro. Lo sviluppo economico e politico di lungo termine nell'èra coloniale aveva finito per rafforzare buona parte della periferia al punto da metterla in grado di imporre l'autogoverno e di liberarsi del controllo imperiale diretto. In alcuni luoghi, come il Vietnam, l'Algeria e l'Indonesia, ciò richiese sollevazioni violente contro il dominio imperiale. Ma nella maggior parte dei casi, fu il risultato di una negoziazione, dato che gli imperi europei riconoscevano che il loro tempo era scaduto. E nel periodo successivo al 1945 i nuovi stati creati da questo processo cominciarono a godere di libertà reali, con un ampio spazio per decidere dei propri affari. Ma l'implicita intesa era che lo avrebbero fatto nell'ambito delle regole di un sistema economico globale che era dominato dalle potenze occidentali, con alla testa gli Stati Uniti. All'interno del sistema c'era tolleranza sufficiente perché gli stati potessero perseguire parte dei propri programmi senza subire rappresaglie dall'Occidente, come i precedenti governi cileni avevano constatato negli anni Sessanta. Ma se avessero superato i limiti della propria autonomia, minacciando di fuoriuscire del tutto dal sistema occidentale, il peso della perdurante egemonia di quest'ultimo sarebbe stato fatto valere con estrema forza, come scoprirono sulla loro pelle il presidente cileno Salvador Allende e i suoi seguaci.

Allende aveva commesso l'errore fatale di sopravvalutare il peso economico del blocco sovietico, e la misura in cui i legami socialisti potevano fungere da contrappeso alla potenza dell'Impero occidentale. In realtà l'Occidente dominava l'economia mondiale, dato che a esso faceva capo la stragrande maggioranza della produzione, del reddito e dei mercati. I problemi strutturali nell'economia della Russia insieme alla sua determinazione a mantenere forze armate adeguate a una superpotenza indebolivano costantemente la crescita, e vincolavano le risorse disponibili al sostegno delle ambizioni diplomatiche. Nonostante una facciata di successo scientifico, simboleggiato dal satellite Sputnik e dal primo volo spaziale della storia da parte di Jurij Gagarin nel 1961, la dipendenza sovietica dall'esportazione di materie prime come il petrolio e il gas naturale significava che la sua economia assomigliava piuttosto a quella di un paese in via di sviluppo nella quantità di ricchezza che era in grado di generare, il che ne faceva nel migliore dei casi un rivale apparente degli Stati Uniti e dei loro alleati. Questo «Alto Volta con i missili» era talmente a corto di liquidità che il sostegno a Cuba dopo la rivoluzione del 1959 drenò gran parte delle sue risorse disponibili, e perfino i sovietici si ritrovarono ad aver bisogno dei dollari USA per il commercio internazionale al di fuori del blocco del Comecon. Questa debolezza economica, combinata con la rivalità tra Cina e Russia che era riemersa dalla metà degli anni Cinquanta sulla scorta di tensioni storiche (e che sfociò nel 1969 in un periodo di guerra di confine reale anche se non dichiarata), ostacolò seriamente la formazione di un blocco comunista globale in grado di rivaleggiare con l'Occidente. Inevitabilmente, perciò, quando Allende si rivolse a Mosca per averne sostegno, ricevette parole cortesi e poco più.[5]

Come la Roma del IV secolo, l'Occidente dopo il 1945 riusciva ancora in larga misura a controllare i clienti più robusti nella sua periferia più vicina, mentre la sua prosperità interna cresceva come mai in precedenza. In nessuno dei due casi, però, questa felice situazione rappresentava un punto finale nello sviluppo dei rispettivi sistemi imperiali. Le ambizioni iniziali delle periferie interne più determinate erano state efficacemente contenute, ma sfide molto più impegnative alla prosecuzione del dominio imperiale si sarebbero presto manifestate altrove.

PARTE SECONDA

V

LE COSE CADONO IN PEZZI

I sistemi imperiali cessano di esistere per le ragioni più varie. Alcuni sono oggetto di conquista. I mongoli emersero dalla steppa eurasiatica e posero fine al dominio dei Song sulla Cina in cinquant'anni di brutali campagne. Alcuni vanno in pezzi a causa della debolezza strutturale interna. L'Impero carolingio – centrato sulla Francia, la Germania occidentale e l'Italia – fu sostanzialmente un movimento di espansione della durata di tre generazioni basato su un vantaggio militare momentaneo, che andò incontro al collasso con la stessa rapidità con cui si era formato. La fine dell'Impero romano d'Occidente non rientra in nessuna di queste categorie.

Estranei armati provenienti da oltre le frontiere – gente che i romani abitualmente liquidavano come «barbari» – ebbero qualcosa a che fare con tale fine. Intorno al 500 d.C. la grande maggioranza dei territori del vecchio Impero d'Occidente era passata sotto il controllo di gruppi di barbari militarizzati, che avevano attraversato la frontiera nel corso del secolo precedente. La Britannia centrale e meridionale stava per essere divisa tra i capi delle bande di guerrieri anglosassoni provenienti dal Mare del Nord. La Gallia settentrionale era governata da sovrani franchi merovingi, mentre la Gallia sudorientale apparteneva a re burgundi. Monarchi visigoti regnavano sulla Gallia sudoccidentale e sulla maggior parte della penisola iberica, e i loro omologhi

ostrogoti sull'Italia, la Sicilia e la costa dalmata. La grande
città di Cartagine e le province più ricche del Nordafrica
erano controllate dalla dinastia degli Asdingi, a capo di una
coalizione di guerrieri vandali e alani.

Ma molti di questi nuovi regni non erano stati creati per
semplice conquista. La forza militare straniera che stava dietro due di essi – i regni visigoto e vandalo-alano – era già in-
sediata sul suolo romano d'Occidente nel 410 d.C., mentre
l'ultimo pretendente al trono imperiale di Roma non sarebbe stato rovesciato se non dopo altri settant'anni. Era stato
inoltre lo stesso governo imperiale ad avere in origine in-
sediato i burgundi sul proprio territorio negli anni successivi al 430, mentre i regni franco e ostrogoto nacquero entrambi soltanto dopo la deposizione di Romolo Augustolo
– tradizionalmente considerato l'ultimo imperatore romano d'Occidente – nel settembre del 476. L'Impero romano
d'Occidente cadde nelle mani di sovrani barbari, ma non si
trattò di una conquista come quella dei mongoli.

La caduta dell'Occidente, inoltre, fu soltanto parte di
un processo di dissolvimento imperiale in due stadi. Nel
500 d.C. la metà orientale dello stato romano – con i suoi
fondamentali centri generatori di entrate in Asia Minore,
Siria, Palestina ed Egitto – era ancora intatta, e continuava
a esercitare la sua egemonia su buona parte dell'Occidente
postromano. Il regno dei burgundi, nei primi decenni del
VI secolo, riconosceva regolarmente (sia pure per sue proprie finalità) l'autorità teoricamente sovraordinata dei sovrani di Costantinopoli. E a cominciare dagli anni successivi al 530 l'imperatore d'Oriente Giustiniano (527-565) fu
in grado di distruggere i regni vandalo-alano e ostrogoto,
e perfino di annettere, dopo il 550, una porzione della costa meridionale iberica. Un secolo più tardi, però, anche la
metà orientale dell'Impero romano era caduta in declino.

Il disfacimento dell'Impero romano d'Oriente cominciò
all'inizio del VII secolo con venticinque anni di estenuante
guerra mondiale contro il suo grande nemico persiano. La
bancarotta che ne derivò per entrambi gli imperi creò nei
decenni centrali del secolo un contesto favorevole per l'e-

spansione su vasta scala da parte delle forze arabe di recente islamizzazione, espansione che distrusse completamente l'Impero persiano e privò Costantinopoli della maggior parte delle sue province più ricche. Negli anni successivi al 630, l'espansione araba inghiottì Siria e Palestina. Ma le cose peggiorarono dopo il 650, quando fu conquistato l'Egitto, mentre la linea costiera dell'Asia Minore, un tempo ricca (e punteggiata da alcune delle più famose città dell'antichità, quali Efeso e Sardi), fu trasformata in un desolato campo di battaglia: una terra non più di prosperità, ma di fortificazioni e di villaggi isolati. A questo punto, il vero danno era stato fatto, anche se ci sarebbero state altre conquiste (il Nordafrica sarebbe caduto dopo il 690). Dal momento che la stessa Costantinopoli riuscì a sopravvivere senza essere conquistata, a volte sfugge il fatto che il VII secolo abbia segnato la fine effettiva della metà orientale dell'Impero romano. Ma la conquista islamica sottrasse ai sovrani di Costantinopoli circa tre quarti delle loro entrate, riducendo l'impero da vera potenza mondiale a forza regionale all'estremità orientale del Mediterraneo. In realtà il nuovo impero bizantino – che prendeva nome da Bisanzio, come si era chiamata in origine Costantinopoli – fu uno stato successore dell'Impero romano vero e proprio tanto quanto uno qualsiasi dei regni occidentali: un riluttante stato satellite del mondo islamico, capace in seguito di espandersi un poco quando questo vicino più potente era in condizioni di disordine interno, ma condannato a contrarsi ogniqualvolta l'unità islamica veniva ripristinata.

Svoltasi nel corso di due secoli e mezzo, la dissoluzione completa del sistema imperiale romano – come ben chiarisce anche un breve compendio – comportò complesse interazioni tra un certo numero di fattori disparati. Questa è la ragione per cui nel corso del tempo sono state proposte così tante spiegazioni diverse della caduta di Roma. È anche del tutto evidente che il moderno Impero occidentale non è caduto, non cadrà certo tanto presto, e in effetti non deve necessariamente cadere nello stesso modo del suo antico predecessore. L'economia di Roma era fondamentalmente stazionaria e agricola, il che faceva del bilancio di ricchezza e potere al livello più alto un gioco a somma zero. Perché vi fossero dei vincitori politici, dovevano esserci dei perdenti. Il potere si basava sul controllo di un complesso più o meno stabile di risorse agricole, e se il sistema cominciava ad affrontare serie difficoltà, non era possibile semplicemente generare ingenti quantità di nuova ricchezza per superare i problemi ampliando il numero dei vincitori. Questo ancora una volta è assai meno vero per la sua moderna controparte occidentale la cui storia, come abbiamo visto, è stata caratterizzata da secoli di crescita economica esponenziale.

Nondimeno, ci sono tutte le ragioni per supporre che il ciclo vitale del moderno Impero occidentale abbia come minimo raggiunto un importante punto critico. In quello che chiaramente è assai più di un incidente di percorso, la sua quota del PIL globale si è ridotta di oltre un quarto in meno di due decenni. Su questo sfondo, un confronto serrato con la dissoluzione del sistema romano, a dispetto delle numerose differenze nel contesto e negli specifici particolari, continua – secondo noi – a possedere grande potere esplicativo. Ma da questo punto in avanti, il confronto deve procedere in modo un po' diverso, dato che la caduta di Roma fu completa, e la storia futura dell'Occidente presenta molte incognite (di tipo sia noto che ignoto). Non è possibile, quindi, continuare con un semplice confronto punto per punto. Ciononostante, nel mondo moderno una serie di dinamiche in via di svolgimento è già abbastanza chiara da rendere possibile l'uso della storia romana per mostrare, primo, che l'Occidente al momento attuale sta affrontando solo l'inizio di quella che sarà una crisi in evoluzione e potenzialmente anche esistenziale, e, secondo, che tale crisi ruota intorno alle stesse componenti essenziali che minarono alla base la sua antica controparte romana. Il modo migliore con cui cominciare l'analisi è una breve rassegna dei fattori chiave al cuore del crollo di Roma.

L'ascesa del Nord

Nell'estate del 773, Carlomagno attraversò le Alpi e intrappolò il re longobardo Desiderio nella sua capitale, Pavia. L'assedio durò fino all'estate seguente, ma alla fine Desiderio fu convenientemente spedito in un monastero e Carlomagno, già re dei franchi e subito incoronato re d'Italia, accettò la sottomissione della nobiltà longobarda. Questo fu l'inizio dell'Impero carolingio. Anche se non era destinato a una durata minimamente paragonabile a quella del suo predecessore romano, il nuovo centro di potere imperiale europeo che sorgeva in quella che era stata una parte della periferia romana illustra uno dei fattori chiave che stanno a monte del crollo dell'Impero romano.

La base economica e demografica della potenza di Carlomagno risiedeva nel Nordest del regno franco, che si estendeva da entrambe le parti della vecchia frontiera romana e comprendeva territori dell'odierna Francia, del Benelux e della Germania occidentale. All'inizio del I millennio le popolazioni di queste regioni erano o troppo deboli per resistere alla conquista romana, o così poco sviluppate che Roma aveva deciso che non valeva la pena di incorporarle formalmente nell'impero (vedi p. 54). Al contrario, Carlomagno riuscì a servirsi delle risorse demografiche ed economiche di questa regione, nel frattempo molto aumentate, per conquistare porzioni significative dell'area mediterranea. E benché l'Impero carolingio in quanto tale non sia durato, questo non fu un caso isolato. I successori ottoniani dei carolingi, la cui base di potere si trovava ancora più a est, tra il Reno e l'Elba, nel X secolo utilizzarono risorse del Nord per conquistare di nuovo gran parte dell'Italia. Nel corso del I millennio, l'intero equilibrio geopolitico di potere su cui si era basato l'Impero romano – che aveva utilizzato la ricchezza e la forza lavoro mediterranee per conquistare il Nord – fu ribaltato, e la nuova configurazione che rese possibile l'affermazione di Carlomagno da allora è sempre rimasta a grandi linee in essere. L'Europa settentrionale ha costantemente ospitato una popolazione più numerosa ed economie di maggiore entità, e quindi ha tendenzialmente dominato il Sud mediterraneo.

La spiegazione di questo decisivo mutamento dell'equilibrio di potere europeo è semplice. I suoli più leggeri e fertili dell'Europa mediterranea, nell'antichità, erano più facili da sfruttare anche senza attrezzature agricole costose e complicate. L'Europa settentrionale offre risorse nel complesso incomparabilmente maggiori, ma i problemi tecnologici connessi al pieno sfruttamento sia dei suoi suoli più umidi e pesanti sia delle sue ingenti risorse marine sono più complessi. All'epoca di Carlomagno, la *carruca*, il classico aratro pesante del Nord – un massiccio vomere di ferro montato su un carrello a quattro ruote tirato da un numero di animali che poteva arrivare a otto –, stava già entrando nell'uso, la produttività al Nord era in aumento, e l'equilibrio di potere economico e demografico europeo aveva cominciato a modificarsi.

Questa rivoluzione strategica a lungo termine va considerata una delle vicende più importanti dell'intero I millennio. Sebbene l'Impero romano non sia stato responsabile di tutto questo, l'impero di Carlomagno rappresenta il culmine di un lungo processo di sviluppo avviato da quattro secoli di interazione tra il centro romano e le sue periferie europee. Nella periferia interna la produttività agricola e le densità di popolazione erano già aumentate in misura significativa durante il periodo romano (vedi cap. III) e continuarono a variare in seguito, finché, nell'VIII secolo, non ebbero minato la distribuzione fondamentale del potere su cui aveva poggiato la dominazione centrata sul Mediterraneo dell'Eurasia occidentale da parte di Roma.

Alcune delle conseguenze politiche di questo processo di sviluppo a lungo termine erano già visibili nel III secolo, con la nascita di confederazioni «barbariche» più potenti che si espandevano nell'ex territorio imperiale nella Britannia settentrionale, tra l'alto Reno e il Danubio e in Transilvania (vedi p. 81). Entità politiche con base nella periferia interna svolsero un ruolo ancora maggiore nella dissoluzione del sistema romano d'Occidente nel V secolo. Le bande di guerrieri anglosassoni che prosperavano così vigorosamente nell'ex Britannia romana avevano avuto origine nella periferia interna nordoccidentale, così come il regno franco di cui Carlomagno alla fine fece un impero. Anche se non aveva raggiunto la maturità nel V secolo, questa trasformazione si era spinta in avanti nel suo sviluppo quanto bastava per contribuire a far sì che il mutato equilibrio di potere impedisse il perdurare della potenza imperiale di Roma basata sul Mediterraneo.

Competizione tra superpotenze

Un rilievo rupestre a Bishapur nel moderno Iran rappresenta l'umiliante sottomissione dell'imperatore romano Valeriano, preso prigioniero, allo scià-in-scià (re dei re) persiano, Shapur I (240-272). Per citare le parole dello stesso Shapur (o Sapore) inscritte in tre lingue intorno al grande tempio zoroastriano del fuoco a Naqsh-e Rustam:

> Quando fui inizialmente preposto al dominio delle nazioni, il cesare Gordiano reclutò un esercito e marciò contro di noi. Gordiano fu distrutto e l'esercito romano annientato. I romani proclamarono cesare Filippo. E Filippo venne a chiedere la pace, e per le loro vite pagò un riscatto di cinquecentomila denari e divenne nostro tributario. E il cesare mentì di nuovo e commise ingiustizia nei confronti dell'Armenia. Marciammo contro l'Impero romano e annientammo un esercito romano di sessantamila uomini a Barbalissos. Nella campagna [conquistammo] trentasette città. Nel terzo scontro ... il cesare Valeriano venne contro di noi. C'era con lui una forza di settantamila uomini ... Lo prendemmo prigioniero con le nostre stesse mani, così come tutti gli altri comandanti dell'esercito. In questa campagna conquistammo trentasei città.

Mobilitando le risorse umane ed economiche degli attuali Iraq e Iran con maggiore efficienza dei suoi predecessori arsacidi, la dinastia sasanide – cui Shapur apparteneva – costruì il proprio dominio del Vicino Oriente durante il III secolo, e già otteneva vittorie su Roma al tempo del

padre di Shapur, Ardashir (224-240). A distruggere il dominio arsacide era stato, alla fine del II secolo, un ulteriore
impulso di espansione da parte dei romani, che aveva visto Settimio Severo creare due nuove province in quelli che
oggi sono la Siria e l'Iraq, spingendo molto in avanti verso sud e verso est la frontiera imperiale. Fatalmente questa
sconfitta aveva indebolito gli arsacidi – che avevano regnato sul mondo persiano fin dal 247 a.C. – e permise ai sasanidi di trionfare. L'emergere della Persia sasanide come superpotenza concorrente alla pari con Roma va quindi vista,
non diversamente dalla comparsa di nuove confederazioni
nelle periferie europee, come una risposta dinamica di livello regionale all'imperialismo romano. Nel caso persiano, però, si trattava piuttosto di una riorganizzazione militare e politica all'interno di un mondo che era stato sede
di complesse civiltà fin dal IV millennio a.C., che del tipo
di espansione demografica ed economica a lungo termine
che stava alla base dell'Impero carolingio.

La guerra con la Persia avrebbe alla fine svolto un ruolo
catalitico nella perdita del rango di superpotenza da parte dell'Impero romano d'Oriente nel VII secolo, ma era già
un fattore presente nel collasso occidentale del V secolo.
Dal III secolo in avanti, la riaffermazione del proprio ruolo di superpotenza da parte della Persia sottopose l'Impero romano a una tensione costante molto più profonda di
quanto non facessero i problemi presenti allora nella periferia interna europea, che portarono all'occupazione dell'alto Reno per mano degli alemanni o alla perdita della Dacia
transilvanica. Nessuna delle nuove confederazioni europee
era in grado di conseguire vittorie di portata paragonabile alla distruzione di tre intere armate romane a opera di
Shapur,[1] una sequenza catastrofica di sconfitte che impose in risposta una ristrutturazione fondamentale del sistema romano. Secondo stime prudenti, nel corso del III secolo l'esercito di Roma dovette aumentare di almeno il 50 per
cento (alcuni sostengono che raddoppiò). E poiché lo stato spendeva circa il 75 per cento delle sue limitate entrate
tributarie per l'apparato militare, un così vasto incremen-

to del numero dei soldati creò un enorme problema fiscale, imponendo un aumento della tassazione totale di oltre un terzo. Se si pensa, per confronto, a quanta difficoltà hanno i politici moderni ad aumentare anche solo dell'1 o del 2 per cento la spesa sanitaria, che rappresenta non più dell'8 per cento circa della spesa pubblica complessiva, risulta chiara la scala del problema sistemico posto dalla Persia.

Impadronirsi di quanto rimaneva delle vecchie entrate delle città (lo spostamento che finì per spingere i membri delle élite provinciali come Ausonio verso le carriere imperiali: vedi cap. II) fu una delle risposte immediate, così come lo fu la progressiva svalutazione del denario d'argento. Questa era la moneta con cui erano sempre stati pagati i legionari, e una serie di progressive svalutazioni è alla base della famosa iperinflazione della seconda metà del III secolo (vedi p. 22). A causa del massiccio aumento delle truppe, non c'era più nell'impero abbastanza metallo per coniare monete d'argento puro in quantità sufficienti. Quando questi trucchi di breve respiro si dimostrarono inefficaci, la risposta strutturale a più lungo termine fu un regime fiscale più esigente accompagnato da una rivoluzione nei mezzi di pagamento dell'esercito, che passarono dalle monete d'argento a una miscela di regolari distribuzioni di materiali in natura (cibo, equipaggiamento e altri beni essenziali), e di occasionali pagamenti in oro puro. Negli ultimi decenni del III secolo, queste misure avevano prodotto soldati romani in numero sufficiente per contrastare ambizioni sasanidi più grandiose.

Eserciti romani riorganizzati e rafforzati cominciarono nuovamente a riportare vittorie significative in Oriente negli anni successivi al 290, ma la Persia sasanide rimase una superpotenza: un rivale permanente alla pari dell'impero, una realtà di fronte alla quale questo non si era mai trovato in precedenza. Ciò significava che una quota enorme delle risorse militari e fiscali disponibili doveva sempre essere rivolta in direzione della Persia: qualcosa tra un quarto e un terzo dell'intero apparato militare di Roma. Se un qualsiasi elemento significativo di queste forze veniva spostato altrove per far fronte ad altri problemi, i sovrani di Persia di solito coglievano l'opportunità per sfruttare la situazione.

Quel che è peggio, l'ascesa della Persia generò importanti effetti strutturali che ostacolavano ulteriormente il funzionamento del sistema romano. A causa della lentezza delle comunicazioni, le forze ingenti che contrastavano l'aggressione persiana a oriente richiedevano un'attenta valutazione politica, perché era sempre possibile che il loro comandante tentasse di ottenere la porpora imperiale. Questa era un'importante lezione appresa in modo traumatico in molteplici occasioni nel corso del III secolo. Ma un imperatore impegnato a sovrintendere il fronte orientale era di gran lunga troppo lontano per controllare l'altro centro principale della forza militare di Roma sulla frontiera del Reno, e per distribuire protezione alle élite occidentali la cui partecipazione attiva faceva funzionare la macchina imperiale. Perciò, dalla fine del III secolo in avanti, il potere imperiale fu generalmente suddiviso tra almeno due – e occasionalmente più di due – imperatori.

Era un esito inevitabile, come dimostrarono diversi tentativi falliti di governo da parte di un unico imperatore, ma la divisione del potere influiva materialmente sul regolare funzionamento del sistema. Nessun sovrano disponeva di tutte le sue risorse, e c'erano ricorrenti episodi di tensione tra i co-imperatori – anche quelli della stessa famiglia – che periodicamente sfociavano in una guerra civile. Per gran parte del IV secolo morirono più soldati romani in queste periodiche guerre civili che in battaglia contro i barbari europei (sebbene il conflitto permanente con la Persia ne uccidesse in numeri ancora maggiori). Nel complesso, quindi, l'ascesa della Persia riduceva l'entità della forza strutturale – in termini di risorse economiche e demografiche – disponibile nel sistema romano per affrontare ulteriori problemi, e al tempo stesso rendeva più difficile mobilitare tali risorse in modo unitario. L'importanza di entrambi gli sviluppi sarebbe ben presto apparsa chiara quando minacce del tutto nuove apparvero verso la fine del IV secolo.

Shock esogeno

Verso la fine dell'estate del 376, due grandi gruppi di barbari goti comparvero sulle rive del Danubio. Richiedevano asilo in cambio di un'alleanza militare. Un gruppo, i tervingi, fu ammesso, ma i grutungi furono respinti, in un tentativo di limitare i danni. Impegnato quasi mille chilometri più a est in un altro grande confronto con la Persia, Valente, il sovrano dell'Impero d'Oriente, aveva bisogno di due anni per poter ritirare le sue armate dal teatro orientale, e per il momento non aveva nemmeno truppe sufficienti per tenere fuori entrambi i gruppi di goti dal territorio romano.

Andò a finire che il tentativo di Valente di applicare il metodo del *divide et impera* non ebbe risultati. I tervingi, una volta superata la frontiera, divennero irrequieti a causa della scarsità di cibo. Il problema fu aggravato dal fatto che i romani – prevedendo il potenziale di disordine e comportandosi di conseguenza – avevano trasferito le scorte disponibili in basi protette di cui i goti non potevano facilmente impadronirsi. Il locale comandante romano cadde allora in preda al panico, tentando senza successo un attacco ai capi dei goti che aveva invitato a cena: la goccia che fece traboccare il vaso, spingendo i tervingi alla ribellione. I loro capi avevano comunque mantenuto i contatti con i grutungi esclusi, che a questo punto penetrarono anch'essi nel territorio romano, di modo che all'inizio del 377 Valente si trovò ad affrontare una rivolta unitaria dei goti. Dopo due campagne militari, e dopo avere comprato la pace dalla Persia, Valente fu finalmente in condizioni di spostare la sua armata verso ovest. L'imperatore avanzò nei Balcani con un esercito, mentre suo nipote Graziano, l'imperatore d'Occidente, avanzava verso est per venirgli incontro con un altro. Graziano però incontrò ostacoli che ne ritardarono la marcia, e Valente, preso dall'impazienza, finì per avanzare a tutta velocità verso nord, fino ad Adrianopoli – la moderna Edirne –, nei pressi della frontiera turco-bulgara. Gli esploratori avevano riferito che i due eserciti goti si erano divisi per distribuire il peso della ricerca

di viveri, e Valente sperò di prendere di sorpresa solo i tervingi. Le informazioni tuttavia erano sbagliate. La mattina
del 9 agosto 378 l'armata romana d'Oriente entrò in azione, ma cadde a sua volta in un'imboscata. C'erano anche i
grutungi. Nel massacro che seguì, l'imperatore e due terzi
delle sue forze furono uccisi. Questa successione di eventi
sembra un classico esempio di invasione barbarica, cosa in
un certo senso vera, ma la vicenda ha un'altra dimensione
molto più importante.

I goti non erano intenzionati a invadere l'impero. Come
nel caso degli esempi moderni di migrazione di massa, è
importante non sottovalutare mai i pericoli e i costi enormi che il trasferimento da un luogo a un altro comporta. I
goti, che erano arrivati sul Danubio nel 376, avevano fatto parte del più ampio sistema imperiale, occupando terre
nella periferia interna per quasi cento anni, ma erano stati costretti a mettersi in movimento da uno shock esogeno:
l'intrusione predatoria nei loro territori di nomadi unni provenienti dalla grande steppa eurasiatica. I grutungi si erano trovati quindi sulla stessa linea del fronte con gli unni
e avevano resistito per qualche tempo; alla fine, però, avevano concluso che la vita in quella che oggi è l'Ucraina era
diventata insostenibile. Cominciarono così un ritiro organizzato verso occidente, che a sua volta destabilizzò i loro
vicini tervingi. Le fonti antiche non spiegano in modo convincente per quale motivo gli unni si spostassero, ma ca-
rote di ghiaccio analizzate di recente suggeriscono che andamenti meteorologici insoliti negli anni successivi al 370
avessero prodotto un periodo di intensa siccità nella steppa. Ciò avrebbe esercitato una forte pressione sui gruppi
nomadi come gli unni, che facevano affidamento su queste
terre da pascolo per il sostentamento delle loro mandrie.[2]
La causa reale del problema di Valente con i goti, pertanto,
non stava nella periferia imperiale interna, ma in uno tsu-
nami umano scatenato nella periferia esterna e oltre, il che
– a pensarci bene – è perfettamente comprensibile.

Non sono soltanto gli imperi a innescare involontariamente trasformazioni politiche indefinite tra i loro imme-

diati vicini; sono anche le popolazioni meno direttamente coinvolte nel sistema imperiale a reagire attivamente ai pericoli e alle opportunità connessi all'improvvisa comparsa di una superpotenza. Nel caso di Roma, ciò prendeva periodicamente la forma di gruppi provenienti in origine dalla periferia esterna europea – il mondo più vicino al Baltico di quanti commerciavano con Roma in ambra e schiavi, piuttosto di quello dei fornitori agricoli che vivevano più vicino alla frontiera – che nell'occasione si riorganizzavano per assumere il controllo di nuove terre a ridosso dell'impero. Per esempio, la crisi di Roma nel III secolo – che, come abbiamo visto nel capitolo precedente, si concluse con qualche limitata erosione del controllo imperiale diretto oltre le linee di frontiera del Reno e del Danubio – maturò proprio all'interno di questo schema. Sia i goti sia gli alemanni, che svolsero un ruolo di primo piano in tale crisi, all'inizio del III secolo erano stanziati nella periferia esterna dell'impero; poi, nel corso del secolo, si erano organizzati per impadronirsi di nuove posizioni vantaggiose a ridosso della frontiera.[3] Ciò che attirò sempre l'attenzione dei commentatori romani erano gli effetti a cascata di questi movimenti in termini di scorrerie oltre frontiera, ma le radici più profonde della crisi del III secolo risalivano a molto più lontano. I gruppi della periferia interna erano generalmente più ricchi e meglio organizzati, ma erano anche sottoposti a un maggiore controllo imperiale, il che rendeva assai meno probabile che fossero la fonte primaria di gravi instabilità nell'insieme del sistema.

La stessa dinamica svolse un ruolo importante nel dissolvimento finale della metà occidentale del sistema imperiale alla fine del IV secolo e nel corso del V. In questo caso, gli eventi degli anni immediatamente precedenti il 370, che videro mettersi in movimento non soltanto i goti ma diversi altri gruppi del basso Danubio, rappresentavano soltanto la prima fase di una crisi assai più ampia generata dallo spostamento degli unni dalla steppa occidentale verso l'Europa orientale e centrale. Una generazione dopo il 376, moltitudini di unni si spostarono dai margini orien-

tali dell'Europa in Ucraina verso la Grande pianura ungherese sul versante occidentale dei Carpazi; non è chiaro se
ciò avvenisse per necessità o per ambizione. Ciò produsse
una seconda fase di intensa instabilità, che ora riguardava
il settore medio-danubiano delle frontiere di Roma nell'Europa centrale. Nel 405 un esercito vasto ed eterogeneo lasciò la regione, spostandosi verso sud attraverso quella che
oggi è l'Austria, e irrompendo in Italia sotto il comando di
un re goto chiamato Radagaiso. Sulle loro orme alla fine del
406 superò la frontiera una coalizione estremamente ampia
anche se poco coesa di vari gruppi provenienti dalla stessa
regione medio-danubiana, con quattro componenti principali: alani nomadi con diversi re, due distinti gruppi di vandali e una composita schiera di svevi. Gli alani erano stati
i vicini orientali dei goti in Ucraina negli anni Settanta, ma
nel frattempo si erano spostati verso ovest; gli altri gruppi risiedevano tutti da diverso tempo nell'Europa centrale. Questa seconda ondata scelse un altro percorso, irrompendo in Gallia sull'alto Reno l'ultimo giorno del 406, ma
era probabilmente in movimento per sfuggire agli unni, che
intorno al 410 si erano saldamente insediati nei loro vecchi
territori della Grande pianura ungherese.[4]

La crisi della fine del IV secolo e dell'inizio del V, come
quella del III, era quindi fondamentalmente un episodio di
shock esogeno, con radici nella periferia esterna del sistema
romano e oltre, anche se furono in prevalenza gruppi della periferia interna a entrare in conflitto diretto con l'impero. E mentre il sistema romano aveva avuto una forza re-
sidua sufficiente per affrontare crisi precedenti di questo
genere subendo perdite di territorio soltanto di piccola entità, gli effetti a catena provocati dallo spostamento degli
unni causarono problemi decisamente maggiori. In questa
fase, non solo l'ascesa della Persia aveva eroso gran parte
delle risorse residue disponibili per gli imperatori romani,
ma il sistema stesso, una volta che così tanti gruppi diversi di barbari erano penetrati nel territorio dell'impero, cominciò a soffrire ulteriori sconvolgimenti su una scala assolutamente senza precedenti.

La reazione iniziale degli imperatori all'arrivo di grandi numeri di estranei non invitati, in molti casi armati e ben organizzati, fu – come prevedibile – di ostilità e sospetto. Come nel caso di Valente e dei goti nel 376, ciò di solito portava a un confronto militare, e gli sforzi di Roma spesso erano coronati da un sostanziale successo. Sebbene nel 376 avessero alla fine ottenuto una sbalorditiva vittoria a Adrianopoli, i goti avevano subìto in precedenza gravi perdite, con l'eliminazione di vari sottogruppi impiegati in spedizioni di saccheggio. Anche la battaglia di Adrianopoli aveva avuto per loro costi elevati, così come i quattro anni ulteriori di guerra inconcludente che precedettero l'accordo di pace alla fine negoziato con l'impero nell'ottobre del 382. All'inizio del V secolo, l'invasione dell'Italia da parte di Radagaiso fu ben presto neutralizzata nell'estate del 406. Una parte della sua élite militare fu persuasa a stringere un accordo con l'impero, in seguito al quale molti comandanti vennero arruolati nell'esercito romano, a spese sia del loro capo – che fu giustiziato alle porte di Firenze – sia di molti dei loro meno fortunati colleghi di rango inferiore. Di questi ultimi, furono così tanti quelli venduti come schiavi, che il relativo mercato italiano ebbe un tracollo.

Organizzare una risposta efficace ai vandali e agli alani che avevano attraversato il Reno alla fine del 406 richiese un po' più di tempo. I membri dell'alleanza si erano spostati nella Spagna romana spartendosi le province, ma intorno al 415 una serie di contrattacchi punitivi romani cancellò l'indipendenza dei vari gruppi di alani e anche di uno dei gruppi di vandali – i silingi –, catturando le loro dinastie reali o eliminandole completamente in battaglia.

Per quanto fossero significativi, nessuno di questi successi militari fu sufficiente a neutralizzare il problema generale posto dagli spostamenti dei gruppi di «barbari». Anzi, per alcuni importanti aspetti lo aggravarono. Di fronte agli efficaci contrattacchi periodici dei romani, i sopravvissuti degli scontri iniziali si riorganizzavano in confederazioni più ampie e più coerenti: esattamente ciò che occorreva loro per sopravvivere a dispetto della potenza militare di Roma. L'originaria distinzione tra tervingi e grutungi scomparve. Dal 380 in avanti i romani si trovarono a dover fronteggiare una forza gotica unitaria (di solito indicata con il nome di visigoti) che, sotto la guida di un re chiamato Alarico (ca. 395-411), si spostò definitivamente verso ovest nel 408, cercando di sfruttare il caos generato dalla sovrapposizione delle invasioni di Radagaiso e della confederazione del Reno. Una volta giunto lì, Alarico reclutò molti dei sopravvissuti della spedizione di Radagaiso: sia quegli elementi dell'élite militare originariamente arruolati nell'esercito romano (le cui famiglie nel frattempo erano state massacrate nel corso di veri e propri «pogrom antibarbari»), sia quelli venduti come schiavi. Anche gli alani e i vandali silingi sopravvissuti alle sconfitte del 416-418 si unirono al seguito dell'altra dinastia vandalica – gli Asdingi – nella Spagna meridionale, formando di nuovo una coalizione più ampia e consolidata. Nel 422 questa confederazione vinse la propria battaglia di Adrianopoli fuori dalle mura di Cordova nella Spagna meridionale, sconfiggendo le forze romane sostanzialmente perché un contingente di visigoti che servivano nell'esercito imperiale passò dall'altra parte – sulla base di un accordo preventivo – nel momento cruciale. All'inizio degli anni Venti, quindi, l'effetto globale del massiccio shock esogeno inflitto dagli unni era diventato chiaro. Due confederazioni ampliate e appena consolidate, composte principalmente da recenti immigrati dalla periferia interna, si erano insediate nel territorio dell'Impero romano d'Occidente.

In seguito queste confederazioni procedettero a fondare due dei principali stati successori della metà occidentale dell'Impero romano, e questo non fu un fatto occasionale; la loro esistenza minò alla base l'integrità del sistema imperiale. In termini più immediati, le loro vittorie causarono la perdita di un gran numero di soldati romani. Adrianopoli era costata all'esercito dell'Impero d'Oriente almeno diecimila morti su una forza totale di quindicimila uomini (stime meno prudenti parlano di ventimila uomini su trentamila).[5] Un inventario militare dell'Impero d'Occidente, risalente a poco dopo la vittoria epocale dei vandali del 422, mette analogamente in evidenza la scala delle perdite inflitte fino a quel momento all'esercito romano d'Occidente. Fino a due terzi del suo organico, qual era nel 395, erano stati distrutti nel quarto di secolo di campagne intercorso.

Le truppe romane ben addestrate erano costose, ma anche intere unità potevano essere sostituite tempestivamente, purché fossero disponibili le risorse necessarie. E a oriente lo erano. Dopo Adrianopoli, i goti non si erano mai nemmeno avvicinati alle cruciali regioni dell'Impero d'Oriente – Egitto, Asia Minore e Mezzaluna fertile – densamente popolate e fornitrici di gettito fiscale. Il problema dell'Occidente nei suoi ultimi decenni, dopo che le confederazioni visigotica e vandalo-alana si erano insediate nei suoi territori all'inizio degli anni Venti del V secolo, era assai più profondo.

L'esistenza di due grandi confederazioni straniere sul suolo romano minacciava direttamente il cruciale asse militare-fiscale dell'impero. Le aree coinvolte nei loro periodici conflitti con Roma subivano danni ingenti ai campi, ai raccolti e al bestiame. Ancora un decennio dopo essere state sottoposte all'occupazione dei visigoti (408-410), le province centrali e meridionali dell'Italia godevano di una riduzione delle tasse del 90 per cento, a quanto pare un livello normale di mitigazione fiscale offerto alle regioni agricole colpite da violenti combattimenti. Prove comparative suggeriscono che probabilmente ci siano voluti circa vent'anni per compensare tutti i danni al bestiame, all'attrezzatura e agli edifici, e per ripagare i debiti e gli interessi accumulati per ottenere i prestiti necessari allo scopo. Altre regioni venivano sottratte in modo permanente alla base fiscale dello stato romano, nel caso in cui dopo i combattimenti fossero occupate dall'una o dall'altra delle confederazioni. Così, dagli anni immediatamente successivi al 420, gran parte della Spagna non aveva prodotto entrate fiscali per quasi un decennio, parti della Gallia meridionale e dell'Italia centromeridionale avevano subìto una guerra di vaste proporzioni, e la Bretagna era uscita completamente dal sistema imperiale (per ragioni su cui torneremo più avanti). Questo comportò perdite ingenti in termini di entrate fiscali (del 25 per cento o più) per l'Impero d'Occidente, e gli effetti sono evidenti in quello stesso inventario militare dei primi anni Venti. Mentre l'Oriente alla fine compensò le sue perdite di Adrianopoli, l'Impero d'Occidente non poté più permetterselo. E così rimpiazzò la maggior parte delle sue truppe da battaglia perdute nel periodo 405-422 semplicemente promuovendo sulla carta le guarnigioni di frontiera esistenti al rango di armate da campo, e non con nuovo «appropriato» (cioè costoso) reclutamento.[6]

Il peggio doveva ancora venire. Nel 432 la coalizione vandalo-alana attraversò lo stretto di Gibilterra e, sette anni più tardi, si impadronì del gioiello della corona imperiale romana d'Occidente: i territori da cui provenivano le entrate più ricche, in quelle che oggi sono l'Algeria e la Tunisia. Il centro imperiale era già in difficoltà per mantenere i suoi eserciti negli anni Venti; e questa perdita ne aggravava ulteriormente la crisi, annunciando una spirale viziosa in cui le entrate in diminuzione avrebbero significato meno truppe e ancora più opportunità per le confederazioni barbariche di impadronirsi di altro territorio romano. Lo shock esogeno generato dagli unni minacciava così il fondamentale asse militare-fiscale su cui era stato edificato l'intero sistema imperiale.

Divisione interna

Nel gennaio del 414 si celebrò un matrimonio di eccezionale splendore nell'antica città romana di Narbona nella Gallia meridionale. Galla Placidia, la sorella dell'imperatore d'Occidente Onorio, si sposava, e non si badava a spese. Il senatore romano Prisco Attalo – un contemporaneo più giovane del nostro vecchio amico Simmaco, che era stato messo nei guai dalla sua condiscendenza metropolitana durante il viaggio verso la frontiera nordoccidentale (vedi pp. 46-47) – fu arruolato per celebrare l'evento con appropriati versi classici: l'epitalamio che tradizionalmente accompagnava la sposa alla sua camera nuziale. Purtroppo il poema di Attalo non è giunto fino a noi. I suoi contenuti avrebbero costituito una lettura affascinante. Non si tratta-va solo del fatto che Narbona – nonostante i suoi splendi-di resti romani – era uno scenario insolito per un matrimo-nio imperiale: lo sposo, per di più, era un re visigoto. Galla Placidia era stata catturata quando i visigoti avevano sac-cheggiato Roma quattro anni prima, e ora stava sposando il cognato di Alarico, Ataulfo.

Questo straordinario matrimonio faceva parte di una calcolata politica di semiriconciliazione all'indomani di quell'attacco. Anche il sacco di Roma non era stato esatta-mente quello che sembrava. Le forze di Alarico erano rima-ste alle porte della città per diciotto mesi, e avrebbero po-tuto entrarvi in qualunque momento. Se ne erano astenute perché Alarico usava quella minaccia come moneta di scam-bio per costringere il fratello di Galla, Onorio, a un accor-do politico di lungo termine. Alarico aveva dato il via libe-ra alle sue truppe soltanto quando era apparso chiaro che l'imperatore, su istigazione dei suoi consiglieri del momen-to, non aveva intenzione di negoziare in buona fede. Agli occhi tanto di Alarico quanto di Ataulfo, l'Impero d'Occi-dente era un elemento permanente del paesaggio politi-co, ed entrambi volevano inserire i goti nelle sue strutture alle condizioni migliori possibili. Il matrimonio di Ataulfo avrebbe fatto entrare i suoi seguaci goti nell'organico (de-clinante) delle truppe da campagna dell'Impero d'Occiden-te, assicurando loro un'entrata regolare, mentre sarebbero rimasti sotto il suo comando autonomo, facendo di lui un personaggio importante alla corte imperiale.

Al tempo stesso, considerati i suoi ambiziosi program-mi politici, Ataulfo – proprio come Alarico – non era affat-to riluttante a entrare in qualsiasi momento in conflitto con l'impero. Prisco Attalo era già stato proclamato imperato-re una volta, con il sostegno dei goti, da Alarico alle por-te di Roma, e fu elevato alla porpora una seconda volta da Ataulfo in Gallia. Il matrimonio del re con Galla Placidia fu celebrato anche senza il permesso del fratello, e, quan-do dall'unione nacque un figlio, gli fu imposto il nome altamente significativo di Teodosio. Il Teodosio originale (il primo) era stato il padre di Onorio, l'imperatore che aveva regnato dal 379 al 395, fondando la dinastia imperiale che ora governava sia in Oriente che in Occidente, e lo stesso Onorio non aveva figli. Il nuovo nato era, nonostante il padre goto, un bimbo con validi titoli per aspirare al trono d'Occidente.

Alla fine le ambizioni imperiali di Ataulfo si rivelarono infondate. Teodosio visse solo pochi mesi, e quando Onorio si procurò finalmente consiglieri più capaci, divenne subito chiaro che nell'Impero d'Occidente rimanevano ancora forze sufficienti per confinare la nuova confederazione visigotica. Dopo due anni di ben studiati blocchi economici, i goti furono costretti dalla fame ad accettare uno stanziamento nella Gallia sudoccidentale che li collocava ben lontano dal centro italiano della politica dell'Occidente. Ataulfo era già stato assassinato da rivali interni goti quando divenne chiaro che la sua strategia di riavvicinamento stava fallendo. Del nuovo equilibrio faceva parte anche la condizione che Galla Placidia fosse restituita al fratello, e che le forze gotiche si impegnassero in una campagna contro i vandali e gli alani in Spagna.

Ma se fallì nei suoi progetti più grandiosi, il regno di Ataulfo mise in luce i primi indizi di una significativa linea di faglia entro l'élite proprietaria terriera dell'impero, faglia che avrebbe poi svolto un ruolo importante nella storia del crollo dell'Occidente romano. Sembra che la stessa Galla Placidia, forse attratta dalla prospettiva di un futuro inaspettatamente esaltante di imperatrice madre, sia stata protagonista volontaria del suo matrimonio. Forse la sua sorte sarebbe stata altrimenti un ritiro claustrale nella città di Roma, destinato a impedire a chiunque di usarla per generare potenziali eredi come via d'accesso al potere a corte. Anche Prisco Attalo non rappresenta nulla di straordinario; la storia è piena di esempi di politici disperatamente smaniosi di potere al punto di perseguirlo in qualsiasi circostanza, per quanto ignominiosa. Quello che è assai più sorprendente nelle manovre di Ataulfo, invece, è che vari membri dell'élite proprietaria terriera delle province fossero disposti a servire il regime usurpatorio di Attalo, sia nell'episodio italiano, sia poi in quello gallico, anche se era completamente dipendente da forze militari gotiche piuttosto che da truppe imperiali romane.

Ci sono alcuni indizi del fatto che le nuove confederazioni barbariche – quella dei visigoti di Alarico e quella dei vandali-alani – possano aver reclutato parte della loro nuova forza militare tra gli elementi maldisposti delle classi inferiori romane, ma le prove non sono conclusive. Assai meglio documentata, e molto più importante in termini politici, fu questa disponibilità di alcuni membri dell'élite proprietaria romana – discendenti di persone come Ausonio – a unire le loro sorti a quelle delle confederazioni barbariche ormai in mezzo a loro. Ataulfo reclutò alcuni sostenitori gallo-romani negli anni successivi al 410, i vandali portarono con sé in Nordafrica alcuni ispanico-romani d'alto rango negli anni Trenta del V secolo, e provinciali romano-britannici negli anni Venti e Trenta reclutarono mercenari anglosassoni in tutto il Mare del Nord (principalmente in aree che oggi si trovano in Danimarca e nella Germania settentrionale) per farsi aiutare a difendere le loro proprietà dai razziatori provenienti dalla Scozia e dall'Irlanda.

Il fenomeno è però meglio documentato nella generazione politica attiva dopo il 450 circa. Di quest'epoca abbiamo una raccolta di lettere scritte da un aristocratico di provincia dell'Alvernia: un uomo di nome Sidonio Apollinare. La corrispondenza di Sidonio cataloga una gamma di differenti tipi di collaborazione tra i suoi simili proprietari terrieri gallici e i confinanti re visigoti e burgundi.[7] Lo stesso Sidonio e alcuni dei suoi amici più stretti erano ben lieti di allearsi con entrambi purché quei sovrani – seguendo le orme di Alarico e Ataulfo – utilizzassero la loro potenza militare a sostegno della continuazione dell'esistenza di una qualche forma di Impero d'Occidente. Nel 457, per esempio, Sidonio scrisse un sorprendente ritratto del sovrano visigoto Teodorico II, presentando il re non come un monarca barbaro, bensì come un governante civilizzato romano, nel momento in cui Teodorico stava appoggiando il tentativo (temporaneamente riuscito) del suocero di Sidonio di impadronirsi del trono vacante d'Occidente. Nel ritratto si sottolineava che il re aveva bandito dalla sua corte l'abuso di vino e cibo: caratteristica sempre considerata barbarica dai romani. Alla fine degli anni Sessanta e all'inizio degli anni Settanta, però, il cerchio ristretto di Sidonio reclutò eserciti privati per contrastare le incursioni del fratello minore di Teodorico, Eurico, nel tentativo di rimanere parte del nucleo imperiale ormai in via di contrazione. Ma se c'erano dei chiari limiti alla disponibilità di Sidonio a collaborare, altri membri dell'élite gallica la pensavano diversamente. Nello stesso periodo alcuni dei suoi conoscenti erano già eminenti consiglieri dei re visigoti e burgundi, che incoraggiavano decisamente ad ampliare i confini dei loro regni emergenti.[8]

La disponibilità delle élite locali romane ad affidare la propria sorte a capi diversi dagli imperatori incoronati riflette – in modo, a prima vista, controintuitivo – la crescente maturità politica della società provinciale tardo-romana. Il medesimo processo di sviluppo che aveva portato alla ribalta uomini come Ausonio aveva al tempo stesso creato raggruppamenti di aristocratici di provincia in grado di formulare e perseguire propri programmi politici. Già nel III secolo, quando l'ascesa della Persia aveva indotto una serie di imperatori a concentrare la loro attenzione sull'Oriente, ciò si era manifestato in una propensione delle élite occidentali, e in particolare galliche, a sostenere imperatori usurpatori che dessero la priorità alle loro esigenze. E questo si ripeté nel V secolo: quando il centro politico romano d'Occidente veniva da loro percepito come debole, alcuni proprietari terrieri di provincia erano propensi a prendere in considerazione soluzioni alternative radicali.

La caduta di Roma

I vari studiosi dispongono questi fattori concomitanti in differenti gerarchie di importanza, ma ai nostri fini il peso esatto da attribuire a ciascuno di essi è privo d'importanza. Il punto essenziale è che tutte le più serie discussioni moderne sulla caduta di Roma si concentrano sostanzialmente su questo stesso elenco di fattori.

Via via che il sistema si dissolveva, l'impero si ritrovava prigioniero di una spirale discendente. La rivalità tra superpotenze e l'autoaffermazione di una periferia interna in progressivo sviluppo si combinavano con un flusso consistente di migrazioni dalla periferia esterna e da regioni ancora più lontane tendenti a esercitare un'accresciuta pressione sul sistema, e tutto ciò si intrecciava con una divisione politica interna spesso molto aspra. Ciascuna di queste diverse componenti aveva proprie specifiche direttrici di causa ed effetto, ma quasi tutte (a parte la scarsità di precipitazioni sulla steppa eurasiatica) erano epifenomeni di più ampie trasformazioni messe in moto dai meccanismi del sistema imperiale romano. Il risorgere dell'Impero persiano a cominciare dal III secolo era una risposta diretta all'espansione territoriale di Roma. Le nuove coalizioni vandalo-alana e visigotica erano entrambe prodotti delle trasformazioni economiche e politiche a lungo termine che quattro secoli di dominio imperiale avevano operato sui suoi vicini, e anche una risposta immediata al contrattacco militare romano. Analogamente, era la nuova ricchezza della periferia interna ad attirare gruppi dalla periferia esterna e da ancora oltre a spingere questi vicini sul suolo romano, evidenziando così le linee di faglia tra Oriente e Occidente, e tra potere centrale e locale all'interno del sistema romano.

Quindi, comunque si ricostruiscano le precise interconnessioni di causa ed effetto, un filo relativamente semplice corre lungo le vicende del crollo del sistema imperiale. Mentre aumentava la capacità della periferia di competere con l'impero, questo doveva destinare una quota sempre maggiore di risorse sia a contrastare la minaccia persiana sia a preservare le sue frontiere europee. Ciò ne accresceva la vulnerabilità agli shock esogeni provenienti dal di fuori del sistema, cui avrebbe potuto facilmente resistere in fasi precedenti del suo sviluppo. L'ascesa di un competitore alla pari in Persia impose inoltre una problematica divisione della funzione imperiale, che, insieme all'improvvisa comparsa degli unni a est, finì per far pendere la bilancia a sfavore dell'impero. A questo punto il centro imperiale non fu più in grado di proteggere gli interessi di alcuni gruppi politici fondamentali, che cercarono altrove riferimenti cui offrire la loro fedeltà.

I capitoli che seguono si propongono di sostenere che la crisi in corso del moderno Impero occidentale combina esattamente le stesse componenti: uno shock esogeno (che comprende la migrazione su vasta scala) originatosi nella periferia esterna e oltre di essa, una periferia interna risoluta nella sua autoaffermazione, una competizione alla pari tra superpotenze e una crescente tensione politica interna. Il modo preciso, e la misura, in cui il sistema moderno – come il suo predecessore romano – si dissolverà nel corso dei prossimi decenni dipendono, ovviamente, dall'effetto cumulativo delle scelte politiche compiute in risposta a ciascuno di questi problemi. La storia romana non soltanto ci consente di riconoscere tutti questi problemi come conseguenze del funzionamento del sistema imperiale, ma può anche aiutarci a riflettere in modo analitico sia sui tipi di risposta che attualmente vengono dati, sia sui loro esiti probabili su tempi più lunghi. Finora il dibattito politico moderno ha chiamato in causa il passato romano per discutere uno solo di questi problemi – la migrazione –, e quindi la nostra analisi inizierà da uno sguardo molto più ravvicinato a questo tema estremamente carico di tensione del dibattito attuale.

VI

INVASIONI BARBARICHE

L'unica parte dell'ex Impero d'Occidente che vide il collasso completo della civiltà romana fu la Britannia. Il latino, le ville, l'istruzione, la legge scritta, il cristianesimo: tutti questi simboli caratteristici della cultura classica scomparvero a nord della Manica, insieme a ogni traccia di scambio economico complesso. Negli anni successivi al 1980 si era sperato che nuovi metodi archeologici più sofisticati potessero portare alla luce qualche forma significativa di urbanesimo postromano in precedenza passata inosservata. Quarant'anni dopo, sono venute alla luce soltanto una tubatura idrica ripristinata a St Albans nell'Hertfordshire e qualche poco convincente buca per palificazioni a Wroxeter nello Shropshire. Alcuni frammenti di ceramica anglosassone del IX secolo rinvenuti sotto le tegole del tetto crollato del quartier generale delle legioni romane a York, a quanto si è stabilito, devono la loro posizione all'attività dei conigli intenti a scavare tane, e non sono un segno che il Praetorium fosse ancora in piedi nell'800 d.C. Parallelamente alla scomparsa delle città vere e proprie, nei primi decenni del V secolo vennero meno artigianato e manifattura – le fabbriche specializzate di ceramica furono sostituite dalla produzione manuale locale – e le monete caddero completamente in disuso. La situazione si fece così disperata che c'era perfino un mercato di vetri rotti rimodellati.

Dalla metà del XIX secolo in poi, gli accademici si sono concentrati su una spiegazione prevalente di tutta questa distruzione: l'arrivo di primitivi immigrati anglosassoni. Si era compreso da tempo che l'inglese, nonostante qualche elemento di origine latina trasmesso perlopiù dai normanni, era fondamentalmente una lingua germanica. Ma in quel periodo i filologi vittoriani avevano scoperto anche che quasi tutti i toponimi inglesi, fino a quelli dei più piccoli corsi d'acqua o delle cunette del paesaggio, avevano radici anglosassoni, e non celtiche o latine. Quando lo sviluppo dell'archeologia scientifica, nella seconda metà di quel secolo, identificò l'arrivo a nord della Manica di una nuova cultura materiale, approssimativamente datata al V secolo, le cui radici evidentemente affondavano nell'Europa settentrionale non romana, la conclusione parve ovvia. La civiltà romana in Britannia era stata distrutta dall'arrivo da oltre il Mare del Nord di una massa di anglosassoni, che spinsero i celti romanizzati sopravvissuti all'invasione verso il Galles, la Cornovaglia e la Bretagna.

La Britannia postromana rappresentava lo scenario peggiore possibile, ma verso la fine del V secolo un copione apparentemente simile stava andando in scena in gran parte dell'ex Impero d'Occidente. Ovunque al dominio imperiale romano si sostituivano dinastie reali immigrate, dando inizio a un periodo circondato da una fama negativa per il presunto declino culturale ed economico su vasta scala: i cosiddetti «secoli bui» dell'Alto Medioevo.

La prima Brexit

Recenti ricerche in campo archeologico e genetico hanno portato a un'importante riconsiderazione della tesi secondo la quale una massa di migranti anglosassoni avrebbe sopraffatto la civiltà romana a livello demografico. Probabilmente nel V secolo giunse in Britannia un numero di migranti leggermente maggiore (in termini percentuali) rispetto ad altre parti dell'ex Occidente romano, ma i numeri non erano il punto essenziale. Fino agli anni Cinquanta del XX secolo la civiltà romana a nord della Manica era considerata un sottile strato sovrapposto a un paesaggio ancora sostanzialmente incolto, con una popolazione piuttosto limitata. Un autorevole storico di quel periodo definiva la conquista anglosassone più come una lotta di «uomini contro alberi» che come un conflitto tra migranti e nativi, rendendo molto più immediata l'idea di una popolazione indigena poco numerosa ed eterogenea che venne spinta fisicamente ai margini geografici dai nuovi arrivati anglosassoni. Le ultime due generazioni di studiosi, però, hanno messo in chiaro che quest'idea poggiava su un fondamentale malinteso. Con l'intensificazione del lavoro di indagine archeologica, il numero degli insediamenti di epoca romana noti è aumentato in maniera esponenziale, al punto che oggi la popolazione della Britannia tardo-romana è stimata intorno al medesimo livello massimo per un'èra premoderna – quattro milioni o più di abitanti – che sarebbe stato nuovamente raggiunto soltanto alla vigilia della Peste Nera all'inizio del XIV secolo: cioè mille anni più tardi. L'idea che un simile numero di persone possa essere stato confinato ai margini occidentali della Britannia è ridicola.

Di pari passo con l'intensificazione delle indagini archeologiche si sono registrati progressi straordinari nell'analisi genetica. In parte quest'ultima è stata interpretata e applicata erroneamente negli ambienti ultranazionalisti per sostenere la tesi che sia esistita (ed esista) una popolazione inglese geneticamente identificabile, la cui posizione oggi è minacciata dall'eccessiva migrazione. Si dà il caso che una particolare mutazione del cromosoma Y sia ampiamente diffusa tra i maschi inglesi moderni: il 40-50 per cento di coloro che discendono da antenati maschi nativi dell'Inghilterra prima che la rivoluzione industriale mettesse in movimento la popolazione britannica ed europea. Tale mutazione con ogni probabilità ha effettivamente avuto origine entro un nucleo di popolazione nordeuropea da qualche parte al di là del Mare del Nord. Ma concludere che questo significhi che il periodo anglosassone abbia visto una sostituzione del 50 per cento della popolazione da parte di immigrati è profondamente sbagliato. Non è possibile stabilire quando sia inizialmente comparsa la mutazione, che quindi potrebbe benissimo essere stata condivisa dai maschi celti, anglosassoni e vichinghi, i quali furono tutti coinvolti in differenti flussi migratori dall'Europa del Nord verso la Britannia. E anche se potesse essere identificata con sicurezza come qualcosa di specificamente anglosassone (e non è detto che ciò sia possibile), a essere stata misurata è la sua distribuzione tra i maschi inglesi moderni del XXI secolo, non la sua diffusione nel periodo della migrazione anglosassone. I migranti anglosassoni divennero il gruppo di proprietari terrieri dominante nella Britannia meridionale nel V e nel VI secolo, il che significa che erano considerevolmente avvantaggiati nell'accesso al cibo e ad altre forme di ricchezza. Come ha dimostrato una successiva modellizzazione, basta attribuire a questi migranti un piccolo vantaggio nella trasmissione dei propri geni – vantaggio che la loro posizione sociale avrebbe di certo conferito loro – perché l'attuale distribuzione al 40-50 per cento della mutazione possa essere facilmente e rapidamente raggiunta partendo da una popolazione migrante maschile che in origine rappresentava soltanto una quota tra il 5 e il 10 per cento del totale. Questa sarebbe ancora una percentuale di migranti maggiore che in qualsiasi altra parte del continente (è improbabile che goti e vandali abbiano costituito più dell'1 per cento della popolazione totale delle terre che avevano acquisito in vicinanza del Mediterraneo), ma non cambia il quadro in modo sostanziale. Comunque si consideri la cosa, il V e il VI secolo videro relativamente pochi migranti anglosassoni interagire con una massa indigena di britanni romani, e il più importante progresso della genetica ha dimostrato che non esiste nulla di simile a un inglese (o, se si vuole, a un francese o a un norvegese) geneticamente definibile.[1]

La vera spiegazione dell'entità del crollo della civiltà romana in Britannia risiede non nella scala della migrazione che si sviluppò a nord della Manica, bensì nella scala della negoziazione. Sul continente, in particolare dopo la sconfitta della spedizione di Costantinopoli contro i vandali nel 468, vasti tratti del territorio romano cominciarono a cadere di colpo sotto il controllo delle nuove confederazioni, assai ampliate. Di conseguenza, i re visigoti e vandali, e – più tardi – franchi e ostrogoti, si trovarono a negoziare nei territori acquisiti di recente con i numerosi membri dell'élite proprietaria terriera romana del luogo. E, nel complesso, questa élite aveva alcune serie monete di scambio da offrire: concreto controllo sociale bell'e pronto su una massa di contadini produttori, ideologie del potere e capacità amministrativa, non da ultimo la capacità di riscuotere le entrate fiscali, tutte cose che potevano contribuire a stabilizzare i nuovi stati sorti in tutta fretta. In queste circostanze, le monarchie continentali emergenti erano ben liete di negoziare versioni di un analogo accordo, con il risultato che, in molte aree a sud della Manica, l'ordine sociale postimperiale comprendeva numerosi proprietari terrieri romani, che nell'insieme conservavano elementi sostanziali della civiltà di Roma. In alcuni luoghi vennero mantenuti in funzione, almeno nel breve e nel medio termine, anche sistemi giuridici e fiscali romani. Il cristianesimo e la cultura latina sopravvissero come caratteristiche distintive permanenti di tutti i regni successori sul continente.

Questa negoziazione non fu mai priva di costi per i proprietari terrieri romani (una buona ragione per dubitare che fosse realmente considerata volontaria). I re degli stati successori erano arrivati al potere grazie ai loro seguaci militari, i più importanti dei quali – alcune migliaia in tutto nei vari regni – si aspettavano di essere riccamente ricompensati per le guerre che avevano appena condotto. E questi accoliti militari non avrebbero avuto la minima esitazione a sostituire i loro capi se la scala della ricompensa non fosse stata all'altezza delle loro attese. La terra era l'unica forma reale di ricchezza disponibile; di conseguenza, i re degli stati successori necessitavano di sostanziose provviste di proprietà terriere per soddisfare i loro seguaci. C'erano alcune riserve di suolo pubblico, ma non sufficienti per rispondere alla scala della domanda, per cui in ogni regno i proprietari terrieri romani dovevano cedere il controllo di parte delle loro tenute (quanto più piccolo era il regno, tanto maggiore, come approssimativa regola generale, era la percentuale). Sacrificando in questo modo parte delle loro terre, i proprietari a sud della Manica riuscirono a conservare almeno una frazione della loro ricchezza, e al tempo stesso trasmisero una porzione significativa della loro cultura tradizionale alle élite barbariche, con cui ora vivevano in rapporti strettissimi. Perfino i conquistatori vandali del Nordafrica, il cui nome fin dal XVIII secolo è stato sinonimo di violenza cieca, impararono presto ad apprezzare le ville romane e la poesia latina. Un poeta latino di buona scuola che si trasferì dall'Italia settentrionale in Francia nella seconda metà del VI secolo scoprì che i suoi versi erano ugualmente popolari alle corti dei nipoti di Clodoveo tra i mecenati di origine sia franca sia romana. Quantomeno la capacità dei proprietari terrieri romani di negoziare la propria sopravvivenza fece sì che l'Occidente postromano fosse latino e cristiano.

E questo è il punto in cui la storia della Britannia diverge in modo così radicale da quella del resto dell'Occidente romano. I «barbari» anglosassoni che arrivavano nella Britannia del V secolo lo facevano in circostanze del tutto diverse da quelle dei loro omologhi continentali. Questi ultimi si trovavano sul suolo romano involontariamente, in risposta allo shock esogeno inferto dagli unni. Inoltre erano nelle condizioni di dover competere con uno stato che, quand'erano arrivati sul suo territorio nei primi decenni del V secolo, era ancora una consistente potenza militare.

In quel momento, invece, la Britannia si era già in parte sottratta al controllo di Roma, avendo proclamato la propria indipendenza nel corso del lungo periodo di sconvolgimenti causato dall'arrivo di Radagaiso, dei vandali-alani e dei visigoti di Alarico (vedi pp. 116-117). La ribellione iniziale finì per fare in modo che i proprietari terrieri romani locali della Britannia, molti dei quali erano ancora sul posto nei primi decenni del V secolo, si ritrovassero completamente emarginati dal sistema imperiale, nonostante i numerosi appelli successivi al ripristino del controllo centrale, quando la loro vulnerabilità divenne chiara. Ora toccava a loro organizzare la propria difesa contro i razziatori provenienti dalla Scozia e dall'Irlanda che si mettevano in coda per procurarsi facili bottini, e in breve cominciarono a reclutare bande di guerrieri anglosassoni da tutto il bacino del Mare del Nord per integrare le altre truppe disponibili. L'unica fonte cronachistica credibile riferisce che la situazione precipitò realmente (con ogni probabilità nei primi anni dopo il 440) quando questi mercenari compresero che non c'era nulla che impedisse loro di prendere pieno possesso delle terre stesse dei loro datori di lavoro, e arruolarono altre bande di guerrieri continentali perché prendessero parte alla festa. Di conseguenza, piccoli gruppi di migranti anglosassoni, agli ordini di capi indipendenti, cominciarono a ricavarsi poco alla volta i loro modesti appezzamenti di territorio. In questo senso lo stanziamento degli anglosassoni rappresenta un'estensione del tipo di processo che aveva visto in precedenza gruppi autonomi della periferia impossessarsi di proprietà terriere imperiali tra il Reno e il Danubio e nella Dacia transilvanica nel III secolo.

Ciò significa inoltre che nella Britannia meridionale non ci fu mai quell'opportunità di negoziazione su vasta scala che era presente invece sul continente, e neppure alcuna ragione perché i capi delle bande indipendenti di guerrieri anglosassoni si unissero sotto l'autorità di un «super-re», dato che non c'erano eserciti imperiali contro cui combattere. Questo generò un processo inarrestabile in cui l'intera classe dei proprietari terrieri romani della Britannia fu spazzata via, insieme ai suoi valori culturali, una villa alla volta. Nel momento in cui l'ultima richiesta di aiuto giunse al centro dell'Occidente romano, questo, avendo appena perduto il Nordafrica a vantaggio dei vandali, era già sottoposto a una pressione decisamente troppo elevata perché potesse trovare le risorse per i proprietari terrieri romano-britannici ormai sotto assedio. A causare il crollo della civiltà postromana della Britannia in un Medioevo interamente pagano e ignaro del latino non fu in realtà la migrazione barbarica, ma la sua volontaria separazione dal mondo romano: la Brexit originaria.

Migrazione e fine dell'impero

Soltanto nel caso degli anglosassoni, quindi, la realtà della migrazione dell'epoca romana si avvicina effettivamente ai resoconti tradizionali di barbari selvaggi che avrebbero sopraffatto una grande civiltà; e anche l'esito prodottosi nella Britannia meridionale ebbe cause profonde che non avevano tutte a che fare con la violenza «barbarica». Altrove nell'Occidente romano, dove la migrazione era in larga misura il prodotto indiretto del caos generato dagli unni piuttosto che un'intrusione predatoria, il processo in corso era tutt'altro che esente da violenza, ma produceva esiti negoziati che trasferivano aspetti significativi della vecchia cultura imperiale nel nuovo ordine mondiale. Anche se questo non corrisponde alle immagini tradizionali dell'invasione barbarica che hanno attratto tanta attenzione in tempi moderni, questi andamenti migratori dell'epoca del crollo di Roma possono essere utilizzati in un modo diverso per aiutarci a comprendere i processi migratori attualmente in corso entro l'Occidente moderno e intorno a esso.

Per cominciare, è importante riconoscere due caratteristiche ineludibili della migrazione umana. In primo luogo, essa è integrata nelle strategie di sopravvivenza della specie. Fin da quando le prime diaspore spaziarono in tutta l'Africa e poi negli altri continenti, gli esseri umani si sono continuamente spostati in cerca di territori di caccia più ricchi o di migliori campi da coltivare. Anche se non sempre li hanno trovati, l'accresciuta capacità cerebrale ha consentito all'umanità di utilizzare indumenti, strumenti e tecnologie di elaborazione del cibo per «scavalcare» l'adattamento fisico evolutivo e prosperare in una grande varietà di ambienti in tutto il pianeta. Una conclusione che emerge con chiarezza dallo studio comparativo della migrazione, quindi, è che ci sarà sempre un flusso di popolazione dalle aree più povere a quelle più ricche, purché siano disponibili trasporti e informazione, e non vi siano strutture politiche che impongono ulteriori barriere. In secondo luogo, la migrazione non è mai esente da dolore. Per la maggior parte dei migranti, lasciare le persone amate e la propria casa per nuovi mondi sconosciuti è uno strazio emotivo, per non parlare dei pericoli e delle incertezze connessi a tale esperienza. Dai barbari uccisi o ridotti in schiavitù nel periodo tardo-romano ai bambini morti gettati a riva dalle onde sulle spiagge europee di oggi, la migrazione non è mai stata priva di rischi e di pene.

A questo sfondo generale di opportunità, necessità e difficoltà, i cicli vitali degli imperi tendono a sovrapporre alcuni schemi di movimento più specifici. Nelle loro fasi espansive, come abbiamo visto, gli imperi creano deliberatamente condizioni che facilitano migrazioni su vasta scala di vari tipi – nuove opportunità economiche, sicurezza, vie di comunicazione e trasporto, perfino politiche volte a incoraggiare la migrazione – con l'intento di assicurare vantaggi al nucleo centrale dell'impero. I migranti possono recare beneficio a sé stessi, ma anche alla struttura imperiale nel suo complesso. Quando sorse l'Impero romano, l'Italia esportò molti individui che contribuirono allo sviluppo delle nuove province. Ma queste province risucchiarono anche forza lavoro da oltre frontiera, attraverso meccanismi sia volontari sia involontari. Nel caso dell'Occidente moderno, l'esportazione di coloni dalle aree centrali nell'epoca dell'espansione fu analoga in linea di principio, ma molto più drammatica a livello pratico. Questo perché l'epoca dell'espansione imperiale dell'Occidente coincise con una straordinaria trasformazione demografica, in cui i progressi medici e i miglioramenti nutrizionali si combinarono con alti tassi di natalità portando gli europei a costituire – per una sola volta nella storia – uno strabiliante 25 per cento della popolazione mondiale (vedi cap. II). In quel contesto demografico, non c'era bisogno di attrarre manodopera nelle nuove province dell'impero da oltre le frontiere del sistema, sebbene ciò continuasse ad accadere per i lavori meno desiderabili, come il fenomeno dello schiavismo rende orribilmente chiaro.

A cominciare dal 1945, però, lo schema si è rovesciato. Le potenze postimperiali, come la Gran Bretagna, la Francia e i Paesi Bassi, aprirono le loro porte ai migranti dalle loro ex colonie. Altri paesi che non avevano – o avevano perduto – gli imperi, come la Germania, importarono «lavoratori ospiti» che, si prevedeva, sarebbero tornati ai loro paesi natali (spesso la Turchia, nel caso della Germania) al termine della vita lavorativa. Comprensibilmente questi «ospiti» spesso si fermavano, dato che a quel punto si erano fatti famiglie che li consideravano loro membri, per non parlare delle squadre di calcio nazionali che non volevano perdere i loro migliori giocatori. Nel frattempo paesi che avevano sempre fatto affidamento sull'immigrazione per accrescere la propria forza lavoro, come gli Stati Uniti, il Canada e l'Australia, vedevano esaurirsi le tradizionali fonti europee, e si rivolgevano progressivamente a immigrati provenienti dal mondo in via di sviluppo.

A prima vista, avendo in mente le invasioni barbariche del tardo periodo romano, ciò potrebbe indurci a utilizzare la metafora dell'ondata per descrivere la relazione tra l'impero e la migrazione, immaginando che essa si riversi all'esterno durante la fase ascendente dell'impero per poi ritirarsi quando un impero comincia a declinare. Una simile metafora è comune nei discorsi dell'estrema destra in alcuni paesi occidentali; si confronta l'espansione della cultura europea in tutto il globo durante i giorni dell'impero, considerata come una cosa «buona» senza aspetti problematici, con presunte tendenze attuali al «genocidio bianco» nei vecchi possedimenti coloniali come il Sudafrica e la Rhodesia. Si mette perfino in guardia – nelle dichiarazioni più melodrammatiche – da una possibile «sostituzione dei bianchi» in Occidente, via via che i barbari dei giorni nostri invertono l'avanzata dell'Occidente nelle sue colonie, e sempre più spesso portano la battaglia nei vecchi nuclei dell'impero. I paralleli tra i vandali predatori e le macerie lasciate dallo Stato Islamico in gran parte della culla della civiltà eurasiatica occidentale in Siria e Iraq sono apparentemente ineludibili. Gli odierni migranti sono i barbari alle porte della nostra epoca. Lasciateli entrare, e le conseguenze inevitabili saranno la perdita di ricchezza, la perdita di coesione culturale e un'impennata della violenza: nel peggiore dei casi, perfino una sostituzione etnica. Ma, pur avendo acquistato una certa popolarità in settori inaspriti dal malcontento di diversi elettorati occidentali, questo tipo di metafora poggia su un'equazione falsa. Anche prescindendo dai suoi giudizi di valore estremamente discutibili, va detto che i moderni flussi di popolazione verso l'Occidente sono il prodotto di un rapporto tra migrazione e impero fondamentalmente diverso da quello operante alla caduta dell'Impero romano.

Nei decenni centrali del XX secolo l'esplosione demografica europea stava terminando. La prosperità dell'Occidente dopo il 1945 rendeva possibili in misura crescente strutture statali in grado di finanziare sistemi di welfare «dalla culla alla tomba», con pensioni e assicurazioni sanitarie piuttosto generose. Gli individui erano anche molto più benestanti. Nel quarto di secolo dopo la Seconda guerra mondiale i redditi pro capite nei paesi occidentali crebbero in media tra il 4 e il 6 per cento all'anno, il che significava che i singoli individui vedevano il proprio reddito raddoppiare ogni decennio circa. Con il declino dell'insicurezza economica, le dimensioni delle famiglie diminuirono in misura corrispondente. Non c'era più bisogno di avere un gran numero di figli che si prendessero cura dei genitori in vecchiaia se lo stato, specialmente in presenza dell'integrazione di una pensione privata, era in grado di svolgere la funzione praticamente con la stessa efficacia. Ora si poteva anche contare sul fatto che la grande maggioranza dei propri figli sarebbe effettivamente sopravvissuta. Dopo il boom postbellico, che causò un balzo di breve durata verso l'alto, i tassi di natalità prevalenti in Occidente ripresero quindi il loro andamento di declino a lungo termine; la seconda fase della cosiddetta «transizione della fecondità» adesso era in pieno svolgimento.

Dalla fine della guerra il numero medio dei bambini per famiglia si è dimezzato negli Stati Uniti. Oggi, tra i paesi sviluppati dell'OCSE, soltanto le famiglie islandesi e israeliane generano un numero di figli sufficiente a mantenere i livelli di popolazione esistenti (il rapporto di sostituzione è in generale di circa 2,1 figli per donna). In ogni altro luogo la popolazione nativa si sta contraendo, e in modo precipitoso nei casi dell'Italia, della Germania, dell'Ungheria e del Giappone.

Con il rapido decremento dei tassi di fecondità nell'Europa occidentale, la maggior parte dei paesi europei andarono ben oltre la perdita del loro vecchio ruolo di massicci fornitori di popolazione in eccesso all'economia mondiale, e cominciarono di fatto a dover lottare per soddisfare i propri bisogni di forza lavoro. La fonte più ovvia di ulteriori risorse era il mondo in via di sviluppo della vecchia periferia imperiale, perché, nei decenni successivi al 1945, anch'esso aveva finalmente cominciato a conoscere il tipo di spettacolare crescita della popolazione – causata dai medesimi progressi della medicina e della nutrizione – che l'Europa aveva visto verso la fine del XIX secolo. Intorno alla metà del XX secolo, vaste riserve di manodopera in eccesso si potevano trovare soltanto nei paesi in via di sviluppo, e l'Occidente reagì di conseguenza. Pertanto, le presunte analogie tra i moderni flussi di migrazione verso l'Occidente e le cosiddette «invasioni barbariche» del periodo tardo-romano sono completamente destituite di fondamento.

Le migrazioni della fine del IV secolo e dell'inizio del V erano causate da uno shock esogeno determinato dallo spostamento degli unni. Il processo che si svolse in seguito sul suolo romano fu sostanzialmente determinato dai migranti stessi, nel momento in cui si riorganizzarono in confederazioni ancora più vaste. Questo processo migratorio globale – sia nelle sue origini, sia nello sviluppo successivo – sfuggiva al controllo romano. Viceversa, la stragrande maggioranza della migrazione moderna verso l'Occidente è stata, ed è ancora, controllata dagli stati riceventi in cerca di forza lavoro. Anche nell'America affollata di immigrati, i «clandestini» entrati illegalmente costituiscono meno del 5 per cento della popolazione totale.

Quindi gran parte del discorso dei politici di destra – come Nigel Farage che vuole incrociare nel canale della Manica per andare a caccia di imbarcazioni dei migranti e Boris Johnson che cita la caduta dell'Impero romano come monito sull'immigrazione incontrollata al giorno d'oggi o Pat Buchanan che paragona gli immigrati illegali ai goti – è basata su una falsa equivalenza. Nulla nell'esistenza precaria di un lavoratore clandestino negli Stati Uniti di oggi ha la minima somiglianza con quella di un guerriero vandalo che si godeva la bella vita romana nel Nordafrica. Un «clandestino» americano vive nella paura, sempre attento a dove sono stati avvistati gli agenti del Servizio immigrazione per poterli evitare. Stigmatizzati, i loro figli spesso soffrono di una cronica paura della separazione dai genitori in caso di deportazione. E sebbene il migrante illegale e la sua famiglia probabilmente siano alle prese con uno stato di salute mentale e fisica molto peggiore rispetto a un omologo del posto, il loro accesso alla sanità è limitato. Anche quando questo è disponibile, gli immigrati spesso rinunciano a farvi ricorso per timore di essere espulsi. Nonostante tutta la retorica sui barbari alle porte, nel mondo moderno non c'è neppure il più remoto equivalente delle confederazioni militari di massa e organizzate che si aprirono la strada oltre la frontiera e si impadronirono di pezzi consistenti del territorio romano. Dopo che l'Ungheria, di recente, ha approvato una legge che consentiva alla sua polizia di respingere oltre frontiera i richiedenti asilo senza debito procedimento giudiziario, il numero delle persone entrate nel paese è diminuito di oltre il 75 per cento. Il tardo Impero romano non avrebbe neppure potuto sognarsi di bloccare le invasioni barbariche con un atto legislativo.

Cosa ancora più importante, la relazione tra migrazione e ricchezza nei casi dell'antichità e dell'epoca attuale è del tutto diversa. Le migrazioni organizzate di massa dell'età tardo-romana dovevano generare perdite significative per qualcuno. I migranti goti, vandali, anglosassoni o di altre etnie erano in competizione fra loro per una quota dell'unica risorsa essenziale – la terra –, una quota che si poteva ottenere soltanto togliendola in tutto (come in Britannia) o in parte (come sul continente) ai suoi precedenti detentori, con l'ulteriore effetto di sottrarre al controllo centrale una parte della base fiscale che – prima o poi – avrebbe portato al collasso lo stato imperiale stesso. Le economie moderne, invece, possono crescere in un modo che era impossibile nelle epoche precedenti, cosicché la ricchezza per nuovi cittadini non deve necessariamente essere ottenuta a spese di quelli che già ci sono. Questa, ovviamente, è la ragione per cui in realtà i governi occidentali dopo il 1945 incoraggiarono l'immigrazione. Date le persistenti carenze di manodopera, giudicarono che l'immigrazione avesse la capacità di *espandere* le dimensioni complessive delle basi economiche e fiscali a loro disposizione.

In linea generale, quel giudizio si è dimostrato corretto, anche se ricerche recenti sull'effetto economico dell'immigrazione propongono un quadro più sfumato, con una maggiore sensibilità al suo impatto disomogeneo, rispetto alle passate celebrazioni senza chiaroscuri dei suoi benefici. A parità di altre circostanze, gli elementi più ricchi della società occidentale hanno tendenzialmente beneficiato in maggior misura dell'arrivo di migranti rispetto alla classe operaia tradizionale. Un apporto di manodopera immigrata limita effettivamente i salari che altrimenti salirebbero in un mercato del lavoro più ristretto. Inoltre, oggi c'è una maggiore consapevolezza del tipo di politiche necessarie – tutto quanto va dalla formazione professionale all'istruzione linguistica – per mettere i migranti in condizioni di partecipare pienamente all'economia ospite. Ma anche tenendo conto di tutto questo, le ricerche indicano in generale che, a dispetto delle affermazioni di alcuni politici occidentali, l'immigrazione garantisce un netto vantaggio all'intera economia. Un autorevole studio dell'FMI stima, per esempio, che in media per ogni aumento dell'1 per cento delle dimensioni della popolazione immigrata si abbia un 2 per cento di incremento a lungo termine del PIL. E sebbene i politici anti-immigrati a volte difendano la loro posizione affermando che non si oppongono agli immigrati in quanto tali, ma solo ai «cattivi immigrati» – intendendo con questo gli immigrati illegali o i cosiddetti «non qualificati», anche se in pratica le due cose spesso finiscono per coincidere –, pure i non qualificati assicurano un beneficio economico superiore ai costi. Negli Stati Uniti, per esempio, gli immigrati clandestini costituiscono una percentuale della forza lavoro superiore a quella della popolazione complessiva, il che fa pensare che un numero sproporzionatamente elevato di essi sia impegnato nell'economia produttiva.

Dal 1945, quindi, gli immigrati sono giunti a svolgere un ruolo vitale nel sostenere ciò che rimane del dinamismo economico occidentale. Ma neppure questo coglie ancora il cuore del contributo totale degli immigrati alla vita nell'Occidente in evoluzione. In un altro senso, più immediato, essi ora sostengono la vita stessa degli occidentali. Per renderci conto del perché, dobbiamo tornare alle conseguenze a più lungo termine dell'aumento della ricchezza occidentale e della transizione della fecondità sulle dimensioni medie delle famiglie.

La prosperità senza precedenti confluita nell'Occidente dopo il 1945 in breve generò un paradosso. Affrettò la transizione a famiglie più piccole, accelerando un declino dei tassi di natalità, e aumentando al tempo stesso in modo spettacolare la speranza media di vita. Dopo la guerra gli americani vivevano in media fino a sessantasette anni; oggi arrivano a settantanove. Ma questo miglioramento sembra poca cosa al confronto con quello dell'Italia, dove l'aspettativa di vita è aumentata da sessanta a ottantatré anni nello stesso periodo, mentre in Giappone la persona media ha incredibilmente aggiunto trentadue anni alla sua speranza di vita di cinquantadue. Tutto questo è un risultato per molti versi meraviglioso. Vite più lunghe, più sane, più ricche con più tempo libero hanno molti aspetti positivi. Ma hanno anche lo svantaggio economico di ridurre la percentuale della popolazione attivamente impegnata nella forza lavoro in qualsiasi momento.

Ancora nel 1960 i pensionati rappresentavano un decimo della popolazione del Giappone. Oggi ne costituiscono quasi un terzo. L'aumento negli Stati Uniti e in Gran Bretagna non è stato altrettanto drastico – dal 10 per cento a circa il 15 e il 18 per cento rispettivamente –, ma è pur sempre consistente. Di conseguenza il rapporto tra persone economicamente a carico e lavoratori attivi è aumentato vertiginosamente. Nel 1960 ogni giapponese economicamente attivo sostentava un'altra persona, e la maggior parte di queste ultime erano bambini destinati a entrare presto a far parte della forza lavoro. Oggi ogni lavoratore deve sostentare altre due persone, la maggioranza delle quali sono pensionati. La ricchezza e i suoi effetti hanno quindi creato nuovi vuoti nella forza lavoro dell'Occidente, vuoti che sono stati in generale colmati ricorrendo all'immigrazione.

In alcuni settori dell'economia, tale dipendenza è divenuta particolarmente pesante. L'allungamento della vita è stato accompagnato da un'incidenza molto maggiore delle condizioni di malattia cronica associate all'invecchiamento: diabete, artrite, morbo di Parkinson, demenza, e chi più ne ha più ne metta. In Gran Bretagna, Nigel Farage ha fatto carriera attribuendo la colpa del costo crescente del Servizio sanitario nazionale (NHS) all'eccesso di domanda generato dagli immigrati. Ha ragione sul fatto che i reparti degli ospedali britannici sono pieni di stranieri... ma perlopiù si tratta di professionisti della sanità! Oltre un terzo dei medici che lavorano nell'NHS viene dall'estero (un dato sostanzialmente in linea con la media OCSE). Naturalmente la medaglia ha il suo rovescio problematico nei paesi in via di sviluppo, dato che un quinto dei dottori che si laureano nelle facoltà di medicina africane finisce per lavorare oltremare.

Non è quindi l'afflusso degli stranieri a esercitare una crescente pressione sul welfare dell'Occidente, ma sono le conseguenze della sua stessa prosperità postbellica, che ha allungato la durata media della vita e aumentato massicciamente il rapporto tra persone a carico e lavoratori attivi. Fare affidamento su medici e infermieri formati all'estero non solo ha impedito a molti sistemi sanitari pubblici di andare al collasso – quelli dell'Australia e del Canada avrebbero smesso di funzionare senza di loro –, ma ha anche scaricato buona parte dei costi di produzione del personale medico su altri paesi, facendo risparmiare ai contribuenti occidentali ingenti somme di denaro, dato che i costi di formazione di ogni medico arrivano fino a trecentomila dollari. Si aggiungono i migranti, sia di lungo sia di breve termine, che svolgono compiti vitali in tutta l'economia – dalla raccolta della frutta alla gestione delle imprese –, e risulta difficile sopravvalutare il ruolo economico che l'immigrazione oggi svolge nel continuare a garantire all'Occidente lo stile di vita a cui si è abituato. Di conseguenza, tanto ora quanto per il futuro prevedibile, la questione della migrazione propone ai governi occidentali un'equazione costi-benefici del tutto diversa da quella con cui fecero i conti i loro predecessori dell'epoca tardo-romana.

Innalzate un muro!

Consistenti quote di vari elettorati occidentali hanno sviluppato una notevole ostilità nei confronti dell'immigrazione. Preoccupati per i posti di lavoro, per i redditi e la coesione culturale, i loro timori sono alimentati dalla vista di turbolenti accampamenti per migranti ai confini e da occasionali esplosioni di terrore islamista nelle città occidentali. Questa avversione si è dimostrata abbastanza forte da determinare alcuni sorprendenti successi elettorali – la Brexit, le vittorie di Trump, dell'estrema destra tedesca dell'AfD, di Viktor Orbán e altri –, spingendo anche alcuni politici più tradizionali a cercare modi per ridurre la dipendenza dei loro paesi dai lavoratori stranieri. In un'epoca di invecchiamento delle popolazioni e di aumento del rapporto tra persone a carico e lavoratori attivi, però, qualsiasi riduzione consistente dell'immigrazione avrà necessariamente delle conseguenze per la prosperità economica. Dopo che la Brexit ha imposto limiti sull'immigrazione dall'Europa, il Regno Unito ha cominciato ad andare incontro a croniche carenze di manodopera che hanno aumentato i costi e depresso l'offerta, come hanno scoperto coloro che cercavano di ristrutturare casa o attendevano i bagagli in un aeroporto.

A un'estremità dello spettro delle possibili scelte politiche, i paesi occidentali potrebbero semplicemente chiudere le porte a future immigrazioni per preservare lo *status quo* sociopolitico e culturale. Il Giappone moderno ha sostanzialmente imboccato questa strada: rendendo difficile per i lavoratori migranti ottenere il permesso di residenza a lungo termine o portare nel paese le proprie famiglie, ha di fatto limitato fortemente l'immigrazione. Ma il prezzo è stato alto. La crescita economica del Giappone si è più o meno arrestata all'inizio degli anni Novanta, e da allora non si è quasi più rimessa in moto, mentre la popolazione invecchiava e il carico imposto ai servizi pubblici si appesantiva. Politiche fortemente restrittive sull'immigrazione sono la ragione principale per cui il numero dei pensionati giapponesi mantenuti dalla popolazione attiva è aumentato molto oltre i livelli raggiunti altrove nel mondo sviluppato, al punto che oggi – con il 30 per cento della popolazione in pensione – più della metà di ogni yen delle entrate fiscali viene assorbito dal bilancio della sicurezza sociale. Ciò impone al governo di indebitarsi massicciamente per pagare qualunque altra cosa, dagli stipendi degli insegnanti alla raccolta della spazzatura. Bloccare l'immigrazione in modo assoluto sembra quindi una ricetta per il declino economico assoluto (così come le sperimentazioni in cui la cura degli anziani è affidata ai robot). La coesione sociale e i modesti tassi di criminalità per cui il Giappone è famoso mostrano che questo modello offre altri potenziali benefici, ma il prezzo è elevato, e anche il Giappone di recente ha cominciato a importare manodopera per le sue strutture di assistenza e a creare finestre legali tramite le quali gli immigrati possano ottenere la residenza permanente.

Una seconda opzione politica su cui più spesso si sono appuntate le preferenze, perciò, è quella di sostenere il mantenimento della migrazione entro limiti più ampi ma pur sempre rigidi e, se possibile, di favorire paesi d'origine con un profilo etnico e culturale simile a quello del paese ricevente: da qui la tristemente famosa preferenza dichiarata da Donald Trump per migranti provenienti dalla Norvegia piuttosto che da «paesi di merda» dell'Africa. Ma contare su una migrazione di dimensioni significative da altri paesi sviluppati è poco realistico, dato che praticamente tutti i paesi dell'OCSE hanno avuto a che fare con la stessa transizione della fecondità, e in ogni caso non ci sono più differenze tra le loro prospettive economiche sufficienti a spingere grandi numeri di migranti ad assumersi i costi culturali e personali del trasferimento. In realtà, qualsiasi migrazione di dimensioni consistenti può venire solamente da parti della periferia dove è in corso la prima fase della transizione della fecondità, nel senso che i bambini sopravvivono in numero molto maggiore, ma le dimensioni delle famiglie stanno soltanto cominciando a adeguarsi di conseguenza verso il basso.

Un'altra soluzione proposta ruota intorno ai cosiddetti regimi di ingresso «basati sui bisogni», in cui le nazioni sviluppate fanno entrare migranti accuratamente selezionati per colmare specifiche carenze professionali: una mossa politica che si presume non sia destinata a far abbassare i salari o a sottoporre a tensione i sistemi sociali. Alcuni politici nazionalisti si servono di quest'idea come di un espediente per ridurre in modo generalizzato la migrazione, ma qualunque versione applicata in modo pragmatico di questa politica non abbatterebbe affatto la migrazione totale. Se la Gran Bretagna dovesse ricorrere a un sistema come quello del Canada o dell'Australia, basato sul pragmatismo economico, di fatto aumenterebbe la quota di immigranti da assorbire. Il Canada, che adotta una politica di immigrazione abbastanza selettiva per mantenere in equilibrio i rapporti tra la forza lavoro e la popolazione a carico, in generale importa circa l'1 per cento della sua popolazione totale ogni anno. Applicata in Gran Bretagna, che ha il doppio di abitanti rispetto al Canada, questa politica richiederebbe seicentocinquantamila immigranti all'anno. Inoltre, come è apparso evidente nel caso dei lavoratori «essenziali» la cui importanza globale è emersa in modo chiaro durante la crisi provocata dalla pandemia di Covid-19, molti membri indispensabili della forza lavoro non sono altamente qualificati, eppure provengono ugualmente dall'estero: di conseguenza, una politica dell'immigrazione selettiva basata su una valutazione razionale piuttosto che sull'intento di solleticare le ansie elettorali dovrebbe anche tenere nel debito conto le carenze di lavoro non qualificato. Di recente il punto è stato messo in evidenza dal fatto che il governo britannico, dopo aver demonizzato per anni i migranti dell'Europa orientale, si è ridotto a pregarli di rientrare quando se ne sono tornati tutti in patria al culmine della pandemia di coronavirus, lasciando le messi non mietute nei campi britannici. I tentativi di ovviare «in modo razionale» alle carenze di manodopera e ai rapporti sfavorevoli tra pensionati e lavoratori attivi potrebbero, quindi, non generare il tipo di esito che molti sostenitori della Brexit avevano in mente quando si pronunciarono per «riprendere il controllo». L'uscita dall'Unione europea potrebbe rallentare la migrazione dall'Europa centrale e orientale, ma è probabile che a tempo debito la sostituisca con flussi equivalenti o anche maggiori dalle parti meno sviluppate dell'Africa, dell'Asia e del Sudamerica.

Sebbene in definitiva non forniscano alcun tipo di analogia valida per l'attuale immigrazione nel moderno Occidente, le «invasioni barbariche» su vasta scala del periodo tardo-romano possono comunque essere chiamate in causa come un efficace contrappunto grazie al quale comprendere perché non ci dobbiamo aspettare simili analogie. Il tardo Impero romano vide una forma particolare di migrazione che in breve si trasformò in uno scontro armato per il controllo di una quantità fissa di risorse fondiarie. L'immigrazione in Occidente dopo il 1945, al contrario, ha comportato molti più vantaggi economici che perdite per i paesi di arrivo, e il beneficio complessivo non ha fatto che aumentare con l'incremento dell'età delle popolazioni occidentali native e dei rapporti tra persone a carico e lavoratori attivi.

Come nel caso del Giappone, i paesi potrebbero comunque optare per controlli molto estesi sull'immigrazione per ragioni culturali e politiche, ma controlli rigidi sull'immigrazione sono connessi a livelli generali di vita più bassi a lungo termine, in un contesto di popolazioni che invecchiano e di produttività stagnante. La migrazione non è priva di costi, né per i migranti, né per le società che li ospitano, né per i paesi che essi lasciano, ma i politici devono essere molto più onesti in merito al bilancio di vantaggi e svantaggi implicati, e probabilmente si arriverebbe a esiti migliori se almeno di tanto in tanto si riferissero anche al fenomeno moderno di immigrazione più importante in assoluto.

Nel corso degli ultimi cento anni si è in effetti verificato il più grande movimento di popolazione mai visto, soltanto una piccola frazione del quale si è diretta in Occidente. Un numero sbalorditivo di cittadini dei paesi in via di sviluppo ha lasciato le proprie case nelle campagne – superando di gran lunga anche la più massiccia «invasione barbarica» dell'antichità –, ma la stragrande maggioranza di loro è finita nelle vicine città costiere e fluviali. Luoghi come Shenzhen, San Paolo, Lagos, Mumbai e centinaia di altri, da avamposti coloniali, si sono trasformati nell'arco di qualche decennio soltanto in straordinarie metropoli. Per un Occidente che invecchia, è questo movimento di persone, a molte migliaia di chilometri dai suoi confini, piuttosto che l'arrivo di alcuni rinforzi davvero necessari alla sua declinante forza lavoro, a proporre la reale sfida migratoria al perdurare della sua prosperità e della sua influenza globale.

VII

POTERE E PERIFERIA

L'anno 1999, che vide il trionfale discorso sullo stato dell'Unione di Bill Clinton, prometteva di essere splendido per lui. Fresco di un'assoluzione dall'impeachment, con i sondaggi estremamente favorevoli grazie all'economia in rapida espansione e al mercato azionario alle stelle, mirava a chiudere l'anno con un finale altrettanto soddisfacente: ospitando l'ultimo di una lunga serie di vertici globali del commercio a Seattle, dove avrebbe potuto celebrare la diffusione del modello occidentale a livello mondiale.

Per tutto il mezzo secolo successivo al 1945, i governi occidentali avevano dettato l'agenda commerciale globale, restando fedeli al progetto della conferenza di Bretton Woods. L'atteggiamento tipico al GATT, o al WTO (World Trade Organization, Organizzazione mondiale del commercio) che gli era succeduto, era stato, da parte di un pugno di paesi ricchi, quello di elaborare un accordo, per poi presentarlo a tutti gli altri come un fatto compiuto. Nel 1999 i paesi in via di sviluppo aspiravano da tempo a un posto adeguato al tavolo delle trattative, e all'opportunità di proporre temi di discussione che gli Stati Uniti continuavano a escludere: soprattutto il rifiuto categorico dei paesi sviluppati di aprire i loro mercati agricoli. Purtroppo per Clinton, fu a questo vertice che le cose uscirono definitivamente dai binari. Già all'apertura, proteste di strada che mettevano insieme di tutto, dai sindacati agli ambientalisti, bloccarono Seattle. Nel frattempo una coalizione di paesi in via di sviluppo, guidata da alcuni dei pesi massimi come India e Messico, prese una posizione unitaria contro i tentativi del presidente degli Stati Uniti di far passare a forza un accordo che ancora una volta ignorava in gran parte le loro esigenze. Molti di quei paesi erano ancora alle prese con misure di austerità che l'America aveva imposto come condizione per i propri aiuti durante la crisi finanziaria del 1997-1998. Poiché le proteste infuriavano, la polizia proclamò lo stato d'emergenza e la Guardia nazionale affluì in città, mentre la discussione nelle sale della conferenza segnava il passo. Clinton dichiarò di non potersi spingere oltre.

Invece di dare il via a un'invasione, la periferia moderna si era servita della diplomazia per sparare un colpo di avvertimento a prua dell'Impero occidentale a guida americana. Per la prima volta in cinquant'anni di trattative commerciali, il centro imperiale era stato bloccato. Che cosa era cambiato?

Globalizzazione

Sebbene il suo effetto principale fosse stato di elevare i livelli di vita in Occidente, il boom globale postbellico accrebbe anche la domanda di materie prime prodotte nelle economie meno sviluppate delle vecchie colonie europee. La crescita economica risultante non impedì alla maggior parte dei paesi del Terzo Mondo di restare ancora più indietro rispetto all'Occidente in termini relativi, perché molti degli stati resisi di recente indipendenti adottarono strategie di sviluppo isolazioniste e protezioniste, volte a produrre sostituti di fabbricazione locale delle merci industriali occidentali che avevano importato nell'èra coloniale. Concepite per rinforzare l'indipendenza politica con quella economica, simili strategie ebbero l'effetto paradossale di radicare il sottosviluppo nella periferia postcoloniale. Le nuove industrie locali si basavano ancora sulla tecnologia e su macchinari occidentali di importazione, di modo che tale strategia involontariamente perpetuò gli stessi vecchi meccanismi economici: esportare prodotti di base – di tutto, dai generi alimentari alle materie prime utilizzate nelle fabbriche occidentali – e usare i relativi introiti per acquistare prodotti industriali dall'Occidente.

Negli anni Settanta l'ordine postbellico si stava avviando alla paralisi. L'espansione spesso rapida che era seguita all'indipendenza, mentre i nuovi paesi emergenti cavalcavano il boom della domanda dei loro prodotti di base e costruivano i propri settori manifatturieri, aveva smesso di generare livelli elevati di crescita una volta che il modello basato sulla sostituzione delle importazioni aveva raggiunto i suoi limiti naturali. Dopo aver saturato i mercati nazionali, alle nuove industrie rimaneva solo l'opzione di seguire i settori dei prodotti di base e cercare di esportare. Ma molte delle fabbriche erano state attrezzate con macchinari di seconda mano provenienti dall'Occidente, sempre più superati, e di conseguenza avevano difficoltà a competere sui mercati dell'economia mondiale senza avere accesso alla nuova tecnologia, e senza l'investimento di capitale necessario per acquistarla.

Anche in Occidente il boom postbellico stava rallentando. Verso la fine degli anni Sessanta l'inflazione, sostanzialmente assente dal 1945, rialzò la testa, per poi accelerare con spaventosi tassi a due cifre, sostenuta in parte dai due shock petroliferi degli anni Settanta. L'OPEC, l'Organizzazione dei paesi esportatori di petrolio, aveva costituito una coalizione di paesi allora considerati periferici per controllare il flusso di petrolio verso l'economia mondiale, innescando un aumento di quattro volte del costo del barile, che così risucchiava molto più denaro dai paesi occidentali, dove casualmente questa era anche la fase in cui l'aumento della produttività del lavoro cominciava a declinare, in concomitanza con le dimensioni della forza lavoro attiva (vedi p. 137). Entrambi gli sviluppi esercitavano una pressione verso l'alto sul costo del lavoro. Il risultato finale fu la stagflazione, uno scenario da incubo di bassa crescita e alta inflazione che tolse il sonno a più di un politico degli anni Settanta, dal primo ministro britannico James Callaghan al presidente Jimmy Carter. All'inizio degli anni Ottanta, mentre le economie occidentali sprofondavano nella recessione, i prezzi salivano di mese in mese e i tassi sui mutui schizzavano verso il 20 per cento: agli occidentali toccava spendere di più proprio quando guadagnavano di meno, il che rendeva sempre più problematico per i governi finanziare i loro programmi di welfare dalla culla alla tomba.

Dopo numerose iniziative fallite, sussidi di stato e nazionalizzazioni inefficaci, numerosi politici occidentali approdarono procedendo a tentoni a una soluzione più radicale, proposta da un consenso emergente tra economisti cosiddetti «neoliberisti» quali Milton Friedman e Friedrich Hayek. Costoro caldeggiavano l'abbandono del modello dominante keynesiano di gestione economica, con la drastica riduzione della spesa pubblica da sostituire invece con un'impostazione ultraliberistica del mercato, che avrebbe incoraggiato le aziende a prendere il mondo nelle proprie mani. Fin dal dopoguerra, i mutamenti della tecnologia avevano concorso ad alleggerire in senso letterale la produzione e a ridurre l'effetto della distanza sui prezzi. Nelle precedenti epoche industriali le fabbriche in generale dovevano svolgere le loro operazioni in prossimità della fonte delle loro più importanti materie prime e dei loro principali mercati per limitare gli elevati costi di trasporto. Ma con la miniaturizzazione delle componenti e l'ascesa delle materie plastiche – che segnò l'addio, per esempio, ai televisori degli anni Cinquanta, che erano delle enormi casse di legno piene di ingombranti parti di metallo e di vetro – un singolo carico poteva trasportare un valore molto maggiore. Anche il costo di spedizione diminuiva rapidamente. L'invenzione dei container – grandi casse d'acciaio che venivano riempite e sigillate all'origine, e così rimanevano finché arrivavano alla loro destinazione – significava che c'erano non solo meno «perdite» (dato che le merci non venivano maneggiate, nulla poteva «cadere dal retro del camion»), ma anche molto meno manodopera coinvolta nelle operazioni. Invece dell'esercito di stivatori necessari per caricare e scaricare a ogni nodo di una rete commerciale, dal camion al treno alla nave e poi da capo in senso inverso, interi container potevano essere spostati da un mezzo di trasporto all'altro da un unico gruista. Infine, i progressi nella tecnologia delle comunicazioni, a cominciare dal fax per poi arrivare a internet, rendevano possibile seguire in tempo reale le operazioni di un fornitore d'oltremare, consentendo alle aziende di dislocare una quota sempre maggiore delle loro operazioni in località via via più lontane.

Prima che da questa nuova epoca di possibilità dischiuse dalla tecnologia potessero trarre tutti i vantaggi, occorreva che le aziende si sbarazzassero delle barriere e delle regolamentazioni che limitavano le loro operazioni oltremare. Ed era qui che entravano in gioco i politici. Dalla fine degli anni Settanta, cominciando dall'elezione di Margaret Thatcher e Ronald Reagan, i governi occidentali iniziarono a rimuovere i controlli sui capitali – che regolavano il flusso del denaro attraverso le frontiere – e a tagliare le tasse, servendosi nel contempo del loro peso diplomatico e finanziario per spingere i paesi in via di sviluppo ad aprire i loro mercati interni al commercio e all'investimento dall'estero. I programmi di assistenza ai paesi in via di sviluppo della Banca mondiale e dell'FMI ora cominciarono a comprendere le cosiddette «clausole di condizionalità». In cambio del sostegno finanziario, i governi riceventi venivano spinti a ridurre le barriere commerciali, a privatizzare le compagnie di stato o a eliminare le regolazioni dei mercati, aprendo le loro economie ad aziende e investitori stranieri.

L'Occidente stava sfondando una porta aperta. Nella periferia globale i governi stavano cercando nuovi modi per soddisfare i bisogni di posti di lavoro, di case e di servizi delle loro popolazioni in crescita, ora che la sostituzione delle importazioni era giunta al capolinea. A questo punto, inoltre, una classe imprenditoriale interna, che inizialmente aveva guardato ai propri governi per averne protezione dalla concorrenza straniera al momento dell'indipendenza, stava prendendo fiducia. Famiglie come i Tata in India, che negli anni Cinquanta e Sessanta si erano accontentate di potersi riparare sotto l'egida della protezione dello stato mentre costruivano le loro attività, erano pronte a competere sulla scena mondiale. In particolare aspiravano a mettere le mani sui tassi di cambio, a disporre di rifornimenti meno cari e di nuovi mercati, tutte cose che richiedevano un minor controllo da parte del settore pubblico. L'élite imprenditoriale trovava alleati per questo nuovo indirizzo nelle stanze del potere, tra politici che cercavano di attrarre nuovi sostenitori e funzionari pubblici che erano ansiosi di dare una scossa al proprio paese. Dal Messico al Mozambico, un'élite professionale e tecnocratica di funzionari pubblici, molti dei quali formatisi nelle università occidentali, era desiderosa di sperimentare nuovi metodi di gestione economica forieri di livelli molto minori di controllo diretto dello stato sull'allocazione delle risorse.

Aveva anche un esempio formidabile da imitare. Dopo la guerra – di fronte alla minaccia sovietica e, in seguito alla presa del potere comunista nella Cina continentale nel 1949, a un blocco comunista apparentemente in ascesa – l'Occidente, sotto la guida degli Stati Uniti, aveva cercato di creare un contrappeso regionale. Si era servito della politica commerciale per facilitare la crescita economica del Giappone e delle quattro «Tigri asiatiche»: Corea del Sud, Taiwan, Singapore e Hong Kong (allora «affittata» dalla Cina alla Gran Bretagna). Per ragioni politiche, a tutti questi stati era consentito di condurre pratiche commerciali «scorrette», mettendo le proprie industrie al riparo dalla concorrenza delle importazioni pur continuando a godere di un accesso senza restrizioni ai mercati occidentali. Rifiutando il modello della sostituzione delle importazioni, questi paesi adottavano quello che finì per essere chiamato approccio alla crescita dello «stato sviluppista». Promuovendo alcune industrie chiave esportatrici, come quelle delle automobili e dell'elettronica, aprivano il resto delle loro economie alle importazioni. I risultati furono spettacolari. A un certo punto, l'economia sudcoreana raddoppiava di dimensioni ogni sei anni (è facile dimenticare che fino agli anni Settanta il Nord comunista era la più ricca delle due Coree). Questo rendeva felici i paesi occidentali, dato che avevano mercati in espansione a cui vendere, per non parlare dei rapporti amichevoli con le popolazioni che godevano della recente prosperità.

C'erano tutte le condizioni per una convergenza. I governi occidentali erano pronti a lasciar circolare liberamente i capitali per il mondo, e i loro omologhi nei paesi in via di sviluppo erano pronti a rendere più facile alle aziende straniere, spesso occidentali, usare i loro lavoratori per assemblare parti importate in prodotti finiti da riesportare. Ciò veniva ottenuto o istituendo filiali oltremare, o contrattando con aziende locali come i Tata. L'elemento finale alla base dell'esplosione economica che seguì era il fenomeno su cui abbiamo concluso il capitolo precedente: la più grande migrazione umana che il mondo abbia mai visto.

Nei decenni successivi al 1945 molte grandi città della periferia si erano riempite di una marea di migranti dalle campagne, che arrivavano in cerca delle opportunità che l'indipendenza era parsa promettere. Questo processo – rispetto al quale il corrispondente flusso migratorio verso l'Occidente appariva del tutto trascurabile – implicava che molte città (in particolare costiere) del mondo in via di sviluppo erano già affollate di centinaia di milioni di migranti provenienti dalle campagne quando l'ondata della globalizzazione cominciò ad affluire. Erano venuti in cerca di lavoro nei nascenti settori industriali dei loro paesi, ma la sostituzione delle importazioni generava un impiego limitato, e quindi pochi avevano avuto grande successo. Ciò che di solito effettivamente ricevevano, però, era un'istruzione di base, dato che i governi postcoloniali investivano massicciamente in scuole e università. Mentre l'Occidente deregolamentava, i paesi in via di sviluppo potevano offrire alle sue aziende accesso a vasti bacini di lavoratori alfabetizzati e dotati di competenze di base, a un costo pari a una frazione di quello dei loro omologhi occidentali: il medesimo lavoro a volte poteva essere svolto a un prezzo cinquanta volte inferiore.

La globalizzazione neoliberista dell'èra Reagan-Thatcher dischiuse questo brulicante mercato del lavoro alle aziende occidentali. Le aziende cominciarono a spostare nel Terzo Mondo i processi di assemblaggio ad alta intensità di lavoro, come la tessitura o la produzione di componenti automobilistiche, mantenendo nel contempo nelle sedi principali le mansioni più qualificate, quali la progettazione, l'ingegnerizzazione e la direzione. In breve, la concezione del mondo neoliberista si diffuse oltre la cerchia dei suoi originari sostenitori nei partiti conservatori dell'Occidente e trovò ampia accettazione anche a sinistra. Con la «terza via» di Bill Clinton o Tony Blair, con il «nuovo centro» delle riforme economiche tedesche del Piano Hartz all'inizio del XXI secolo – con cui si cercava di «incoraggiare» i disoccupati a lavorare riducendo i loro sussidi – o più di recente con il programma di riforme di Emmanuel Macron in Francia, che riduce le tasse e modifica la legislazione del lavoro, la dottrina keynesiana è stata soppiantata come teoria economica dominante dell'Occidente. Invece di fare affidamento su di uno stato benevolo che mirava a gestire l'economia in modo che aziende e cittadini potessero prosperare, ora tutto doveva essere lasciato a un libero mercato in cui l'«interesse personale illuminato» produceva risultati socialmente benefici.

Un elemento chiave del modello neoliberista era una rinnovata enfasi sull'istruzione, con l'idea che quanti rimanevano disoccupati in Occidente in seguito al crollo delle vecchie industrie potevano acquisire nuove competenze più spendibili sul mercato: di qui il luogo comune dei minatori del carbone che imparano a programmare. E dal momento che la maggior parte dei paesi in via di sviluppo si era aperta fin dall'inizio degli anni Novanta, l'intero processo industriale che aveva assicurato il dominio dell'Occidente fu riorganizzato su scala globale a una velocità vertiginosa. Gli investitori privati occidentali, compresi i grandi attori istituzionali come gli enormi fondi pensione che erano cresciuti nel periodo postbellico, avevano bisogno di rendimenti più alti per sostenere le promesse fatte ai loro clienti, e furono ben lieti di fornire il capitale necessario per alimentare il processo.

Nel breve termine queste manovre rivoluzionarie ebbero l'effetto desiderato di ripristinare i profitti delle aziende in Occidente, e quindi di spingere verso l'alto i valori azionari e le entrate fiscali. Ciò consentiva ai governi occidentali di mantenere e anche di ampliare la spesa sociale, se sceglievano di farlo. La liberalizzazione del commercio e l'esternalizzazione della produzione permettevano inoltre ai politici che cercavano di aumentare i salari almeno di tenere a bada l'inflazione, dato che adesso chiunque poteva comprare merci asiatiche di importazione meno care invece di costosi prodotti fatti in patria. In effetti i moderni schemi del commercio globale, con i calcoli economici che ne stavano alla base, si erano evoluti in un'immagine speculare dei loro antichi predecessori romani. Nel mondo romano, i costi di trasporto erano tutto e il lavoro era a buon mercato, e quindi le merci venivano prodotte quanto più vicino possibile al luogo di consumo. Nell'èra della globalizzazione, i costi di trasporto erano diventati minimali – con tutte quelle enormi portarinfuse azionate da un certo numero di computer e da un paio di dozzine di persone – e i costi del lavoro erano tutto, e quindi le merci venivano prodotte dove il lavoro era a buon mercato e poi spedite nel resto del pianeta. Nei suoi primi anni, e in particolare dopo il 1990, questo nuovo ordine internazionale sembrava funzionare bene per tutti. Il Terzo Mondo prosperava, mentre i mercati azionari in Occidente salivano alle stelle.

Non tutte le società periferiche ne traevano benefici. In alcuni casi l'avidità dei politici prevaleva. La ricchezza dello Zaire (oggi Repubblica Democratica del Congo) fu depredata per oltre trent'anni dal suo leader di lungo corso, Mobutu Sese Seko, mentre il Venezuela sotto Nicolás Maduro avrebbe fornito al mondo un esempio da manuale di come non far funzionare un'economia, deprimendo la crescita e facendo salire l'inflazione, con l'effetto di croniche penurie. Anche in quei paesi che stavano conseguendo vantaggi sotto leadership migliori, il paternalismo caratteristico dell'èra della sostituzione delle importazioni cedette rapidamente il passo a sistemi sociali più competitivi e instabili, in cui le persone erano sempre più lasciate sole a badare a sé stesse. Nondimeno, dovunque il mondo in via di sviluppo rispondeva positivamente alle nuove possibilità, la crescita economica di solito accelerava, creando nuove attività e opportunità di impiego. Mentre si era a lungo pensato che la crescita più lenta della periferia fosse una condizione cronica, e che queste società sarebbero rimaste per sempre più povere di quelle dei loro vecchi padroni imperiali, un nuovo quadro cominciò a emergere. La crescita della periferia, divenne chiaro, era più lenta soltanto perché era cominciata dopo. Durante gli anni Ottanta e Novanta molti paesi in via di sviluppo iniziarono a commerciare in misura sempre crescente con il mondo esterno (con un incremento spettacolare in paesi come la Corea del Sud e l'India), e nelle società dallo sviluppo più rapido i guadagni furono distribuiti su una base sufficientemente ampia da creare una nuova classe media di consumatori globali.

Al di sotto della superficie, però, questa marea montante di prosperità della periferia stava alterando in modo decisivo il corso del dominio globale dell'Occidente, più o meno come l'espansione economica e demografica a lungo termine nell'Europa settentrionale aveva minato l'antico equilibrio di potere che aveva sostenuto l'ascesa di Roma. Nei due secoli prima e dopo la nascita di Cristo, una base di risorse mediterranea era stata sufficiente per consentire a Roma enormi conquiste in tutta l'Europa settentrionale. Ma una volta sviluppate, le risorse del Nord consentirono alla periferia imperiale prima di far arretrare il dominio del centro, e poi di dominare lo stesso Mediterraneo da una nuova posizione. In modo analogo, pur operando al passo dello sviluppo industriale molto più rapido di quello agricolo, il sistema di Bretton Woods, che aveva così efficacemente servito gli interessi occidentali dopo il 1945, era stato forgiato in un momento di forza senza precedenti dell'America. Dopo il 1980 il nuovo peso economico della periferia cominciò ad alterare questo equilibrio di potere in modi sottili ma significativi. Diversi paesi in via di sviluppo, tra cui India, Brasile, Pakistan e Messico, cominciarono a posizionarsi in modo più efficace per esercitare una maggiore influenza e a costruire alleanze nelle sedi di dibattito internazionali. Non solo erano più impegnati e in condizioni migliori per ottenere accordi più favorevoli per sé stessi e per altri paesi in via di sviluppo, ma ora disponevano in misura crescente di monete di scambio: l'accesso ai loro mercati cui i paesi occidentali così avidamente aspiravano.

Date queste traiettorie di sviluppo, era solo questione di tempo perché i governi dei paesi del Terzo Mondo convertissero la potenza economica e la capacità di manovra diplomatica in una maggiore influenza politica. Per le strade di Seattle, in quel pomeriggio d'autunno, folle di appartenenti a gruppi della società civile occidentale scesero in massa a protestare per quelle che ai loro occhi erano ingiustizie e iniquità della globalizzazione neoliberista nelle loro stesse società. Ma l'azione reale si svolgeva all'interno, nella sede della conferenza. Là, mentre fuori il gas lacrimogeno invadeva le strade, una nascente coalizione di paesi in via di sviluppo, resa ostile da tutte le manovre dietro le quinte gestite dagli Stati Uniti, pose fine al vertice WTO del 1999 rifiutando di partecipare. Quando finalmente questo riprese due anni dopo a Doha, la coalizione fece in modo che il suo ordine del giorno fosse del tutto diverso, con una maggiore attenzione alle preoccupazioni dei paesi emergenti. L'ordine globale creato nel 1945 per mantenere il dominio dell'Occidente in un'èra di formale decolonizzazione aveva subìto un colpo fatale.

Ma, come nel caso dell'antica Roma, una periferia interna rumorosa e risoluta non era in realtà il problema principale dell'Occidente. Nel lontano passato del I millennio, l'ascesa del Nord aveva cambiato per sempre l'equilibrio di potere europeo, rendendo un impero basato sul Mediterraneo non più sostenibile, ma lo aveva fatto sul lungo termine. L'infiltrazione anglosassone nella Britannia meridionale e l'espansione franca a ovest del Reno costituivano, come abbiamo visto, una parte relativamente secondaria della storia del crollo dell'Impero romano. Molto più importante era stata la pressione degli unni dalla periferia esterna, che aveva provocato il sorgere di nuove coalizioni all'interno dell'Impero romano. Allo stesso modo, se la globalizzazione minava gli accordi stabiliti a Bretton Woods, ciò di per sé non comportava certo una rivoluzione geostrategica. Ma, mentre la globalizzazione stava ristrutturando le economie della vecchia periferia interna, una minaccia assai più grande al perdurare del dominio globale dell'Occidente si stava delineando in territori da sempre appartenuti alla periferia esterna del sistema imperiale occidentale.

Sindrome cinese

Ospitando entro i suoi confini in media circa un essere umano su quattro per gran parte della storia documentata, la Cina è sempre stata la più grande economia del mondo fino all'ascesa dell'Occidente e al declino in cui fu coinvolta dopo il 1800. Ripetutamente umiliata dalle potenze occidentali, la Cina imperiale precipitò in una guerra interna, mentre, verso la fine del XIX secolo, gli sforzi di riformarne e modernizzarne le strutture, seguendo l'esempio del Giappone contemporaneo, furono frustrati dalla corruzione di potenti interessi costituiti. Di conseguenza, la Cina in questo periodo ebbe la sorte dolorosamente insolita di vedere la sua economia arretrare, non solo rispetto a un Occidente in ascesa, ma in termini assoluti, dato che gran parte della sua popolazione cadde in povertà. Al momento della rivoluzione comunista del 1949, il Regno di Mezzo era diventato l'ombra di sé stesso. I successivi tentativi di Mao Zedong di costruire un'economia chiusa e autosufficiente non fecero che aggravare l'arretratezza. Alla sua morte nel 1976, il reddito pro capite del paese ristagnava intorno ai duecento dollari all'anno, meno di un quarantesimo di quello degli Stati Uniti. Nei decenni trascorsi la Cina aveva operato in larga misura separatamente dall'Impero occidentale postbellico, con un impegno non più che marginale nelle sue strutture economiche, mentre l'interscambio con l'estero assommava a meno di un decimo del suo PIL totale.

Dopo la morte di Mao, la situazione conobbe un drastico cambiamento, anche se questo fu a malapena avvertibile in un primo momento. Al termine di qualche frenetica settimana, a Pechino prese il potere un nuovo gruppo di riformatori, guidato da Deng Xiaoping, estromettendo la banda dei Quattro, di cui faceva parte la vedova di Mao, Jiang Qing, fautrice di una linea comunista più intransigente. Ufficialmente la Cina rimase sulla rotta assegnatale da Mao, il cui ritratto continuava a campeggiare sulla piazza Tienanmen. A livello non ufficiale, Deng avviò una rivoluzione – anche se con cautela – iniziando con alcune riforme nel settore agricolo nel 1978, e poi accelerando gradualmente il passo via via che il governo liberalizzava progressivamente l'industria e il commercio. Con gli anni Novanta il paese era tornato a pieno titolo sulla scena mondiale, mentre la quota del suo prodotto lordo che comprava o vendeva all'estero era quadruplicata in soli quindici anni. L'economia cinese conobbe un boom, uguagliando i record stellari delle quattro «Tigri asiatiche». Nel 2016 il cinese medio era venticinque volte più ricco in termini reali di quarant'anni prima, con un reddito pro capite che adesso era superiore a un quarto di quello americano (e in aumento). La quota della Cina della produzione industriale globale, trascurabile nel 1976, era corrispondentemente aumentata a quasi un quarto, e oggi il paese è – o sarà presto, a seconda del parametro utilizzato – la più grande economia del mondo.

Il significato di questa straordinaria svolta radicale nella storia mondiale ben difficilmente può essere sopravvalutato. Le conseguenze sono ancora in pieno sviluppo, ma una trasformazione così rivoluzionaria nella distribuzione del potere economico globale è destinata ad avere necessariamente conseguenze politiche enormi e parallele. Per la prima volta, in sostanza, l'Impero occidentale si trova ad affrontare una genuina superpotenza che compete alla pari. La vecchia Unione Sovietica non ebbe mai un peso economico all'altezza delle sue ambizioni militari e non era in grado di estendere la sua influenza globale fornendo sostegno economico a più che un pugno di clienti d'oltremare (vedi

p. 100). E, nonostante la rinascente retorica da Guerra fredda, nemmeno i tentativi di Vladimir Putin di ripristinare la grandezza della Russia hanno fatto molto per cambiare questo stato di cose. L'economia russa si basa in larga misura sulla vendita di petrolio e gas, il che già rappresentava un rischio a lungo termine in vista della transizione in corso verso un mondo senza combustibili fossili. L'implosione economica che è derivata dall'imposizione di sanzioni occidentali dopo l'invasione dell'Ucraina da parte di Putin nel 2022 non ha fatto che mettere in evidenza quanto sia fragile e limitata la base economica della Russia. Peraltro, i successi del paese nel minare le democrazie occidentali mediante la «guerra ibrida», che sono stati a volte notevoli, dipendono in ultima analisi dalla cooperazione di marionette occidentali più o meno volontarie, sia per scaricare e-mail, sia per finanziare campagne politiche destabilizzanti, sia per mettere in circolazione notizie false. Perfino la tanto vantata macchina militare russa, una volta scatenata contro le forze molto più piccole della vicina Ucraina, si è rivelata lenta nei movimenti, superata e spesso inetta.

La Cina presenta un quadro completamente diverso. Se le sue forze armate non sono ancora state messe alla prova in un conflitto importante, la sua quota del PIL globale si aggira attualmente intorno al 16 per cento (a fronte del 2 per cento della Russia). Il suo governo autoritario è riuscito anche a limitare sia il consumo privato sia la spesa pubblica in aree come il welfare, il che gli consente di orientare quasi metà delle risorse economiche totali verso nuovi investimenti. Si tratta di una cifra sorprendente che è all'incirca doppia e perfino tripla – nel caso di un paese pigro come la Gran Bretagna – rispetto a quella corrispondente dei paesi occidentali, tra i quali perfino la frugale Svizzera a malapena arriva a un terzo. Ciò significa anche che la Cina ha grandi quantità di riserve monetarie disponibili per proiettare la sua potenza oltremare.

Finora il ripristinato rango di superpotenza della Cina, intrecciandosi con lo slancio economico che già stava prendendo vigore in buona parte del mondo in via di sviluppo,

si è perlopiù espresso sul terreno del *soft power*. Per quanto
ancora dominato dall'Occidente, il sistema finanziario globale è diventato sempre più dipendente dai flussi di denaro
provenienti dai paesi in via di sviluppo, mentre Hong Kong,
Singapore, Shanghai e Dubai diventavano centri bancari
alla pari con le vecchie capitali finanziarie come Londra,
New York e Zurigo. E in un periodo in cui l'Occidente ha
in generale tagliato i fondi di assistenza allo sviluppo, la
Cina si è inserita a colmare il vuoto, incrementando i propri
aiuti all'estero per procurarsi numerosi alleati a livello diplomatico. Basta fare un giro per le strade di Addis Abeba
o di Lusaka, con i loro numerosi nuovi grattacieli di uffici,
i centri commerciali e le strade costruite dai cinesi, per rendersi conto di quanto rapidamente si stia ampliando l'impronta cinese sul continente africano in particolare. Di conseguenza, uno dopo l'altro, i governi hanno abbandonato
Taiwan, la provincia separatista in cui si rifugiò il governo
nazionalista di Chiang Kai-shek al momento della rivoluzione comunista, riconoscendo Pechino e non Taipei come
unico vero governo della Cina.

Più di recente, però, la potenza cinese ha cominciato a
mettere in mostra una faccia più arcigna. Il paese ha abbandonato il vecchio esercito popolare basato sulla coscrizione
di massa del periodo maoista per dare vita a forze armate
più ridotte e specializzate, dotate della tecnologia più ag-
giornata. Negli ultimi anni ha costruito due portaerei (mentre altre quattro sono in arrivo), una linea di isole artificiali
militarizzate in vicinanza della propria costa e una serie di
basi militari in tutta l'Asia e nell'oceano Indiano. Con l'intensificazione delle manovre militari al largo di Taiwan e
la stretta sempre più rigida esercitata su Hong Kong, Pechino sta utilizzando le sue risorse militari per affermare
la propria influenza regionale, suscitando così la costerna-
zione dei governi asiatici suoi vicini e degli Stati Uniti, la
cui influenza stessa di conseguenza sta declinando. Proprio
come il suo predecessore romano nel III secolo, il moderno
Impero occidentale si trova ora di fronte la sua superpotenza rivale. E anche se, come quella della Persia sasanide,

l'ascesa della Cina non ha minato immediatamente lo stato di superpotenza dell'Occidente, essa comunque presenta una serie di sfide dirette e indirette che prima o poi dovranno essere raccolte.

Oltre la fine della storia?

Nel 1992, dopo aver assistito all'abbattimento del Muro di Berlino, Francis Fukuyama affermò in un famoso saggio che si era raggiunta la «fine della storia». Sosteneva che il modello occidentale della democrazia liberale era ormai così dominante a livello mondiale che l'evoluzione ideologica del genere umano era giunta alla sua conclusione naturale. Eravamo tutti destinati a finire come stati capitalisti liberal-democratici. Questa tesi, che anche all'epoca era parsa viziata da una certa *hybris*, oggi appare delirante. La straordinaria ascesa economica di gran parte della periferia interna in seguito alla massiccia migrazione degli ultimi decenni dalla campagna alla città, e il dilagare della Cina sulla scena mondiale dalla periferia esterna, rendono chiaro che, se il predominio globale dell'Occidente non è stato rovesciato, di certo viene messo in discussione, e in modo efficace, per la prima volta. E non c'è la minima possibilità che uno qualunque di questi sviluppi si dimostri effimero. Proprio come l'elenco globale dei ricchi ha ormai iniziato a essere popolato da miliardari del Sud globale, il cui numero aumenta ogni anno, così anche molte economie periferiche, da perenni ritardatarie che erano, sono ora tra le più dinamiche del pianeta. Di conseguenza, *tutte* le economie in più rapida crescita a livello mondiale ora appartengono all'ex periferia. Il ritorno della Cina al centro dell'economia globale è un fenomeno di enorme importanza, ma la sfida complessiva rivolta all'Occidente è molto più di una vicenda limitata alla Cina. In anni recenti il tasso annuo di crescita economica dell'India, a lungo derisa per la sua lentezza, ha superato quello della Cina, mentre, nel 2019, sei delle quindici economie in più rapida crescita al mondo erano africane. L'Africa evoca ancora nelle menti occidentali immagini stereotipate di carestia e malattia, ma si sta affacciando all'orizzonte una nuova realtà di convergenza economica.

L'evidente dinamismo dell'economia cinese e del più vasto mondo in via di sviluppo, a confronto con i declinanti tassi di crescita in Occidente, ha anche fornito l'occasione per alcuni seri esami di coscienza sui difetti della democrazia e sulla presunta superiorità dei sistemi autoritari. Se pure hanno i loro lati negativi, gli autocrati, secondo una certa linea di pensiero, almeno fanno le cose, e la maldestra risposta di alcuni governi occidentali alla pandemia di coronavirus non ha fatto che rafforzare simili opinioni. La nuova ricchezza del mondo viene perlopiù generata al di fuori del vecchio nucleo imperiale, e i valori dell'Occidente stanno perdendo il loro lustro anche tra alcuni occidentali, sebbene la maggior parte del PIL globale faccia ancora capo al Nord del mondo e alcune delle risposte di maggior successo alla sfida del coronavirus nell'Asia orientale siano state date da democrazie come la Corea del Sud e Taiwan. Invece di continuare a sottoscrivere il poco convincente trionfalismo di Fukuyama, o di seguire l'attuale (parimenti acritica) moda dell'autocrazia, dovremmo tener conto di come la storia romana ci offra un modo alternativo per riflettere a fondo su quanto potrebbe accadere poi.

Considerando le differenti fasi nei rapporti dell'Impero romano con il mondo circostante, in un primo momento si può essere tentati di pensare che il moderno Impero occidentale si sia ormai evoluto fino al punto che il suo omologo antico aveva raggiunto verso la fine del III secolo e nel IV. Era il periodo in cui la Persia era di nuovo diventata una superpotenza rivale, e le periferie europee dell'impero erano in ascesa. Ciò sarebbe già abbastanza preoccupante, ma, a un'analisi più attenta, le circostanze attuali in realtà assomigliano molto di più alla situazione ancora più precaria degli anni successivi al 420, quando le nuove confederazioni avevano già stabilito insediamenti permanenti sul suolo occidentale. Questo non perché oggi dei «barbari» immigrati stiano invadendo l'Occidente moderno in numeri crescenti. I migranti di oggi in generale sostengono più di quanto non minaccino le economie e le società del mondo sviluppato (vedi cap. VI). Il vero parallelo qui si può tracciare se si ricorda *perché* quegli insediamenti del V secolo, in gran parte di gruppi espulsi dalla periferia interna, rappresentavano un così grave problema per l'antica Roma. La terra destinata all'agricoltura era il suo mezzo fondamentale per generare ricchezza. Gli insediamenti «barbarici» minavano direttamente il sistema imperiale sottraendo al suo controllo una percentuale significativa della dotazione totale di risorse generatrici di ricchezza, e lasciando lo stato centrale a cercare di adempiere i suoi compiti nei confronti dei cittadini con delle entrate fortemente ridotte.

Nel caso moderno la periferia ex coloniale non avrà alcuna ragione di invadere il nucleo perché lo stesso effetto complessivo viene ottenuto con il trasferimento nella periferia del controllo di una porzione significativa delle risorse generatrici di ricchezza del mondo moderno: in questo caso il macchinario per la produzione industriale piuttosto che i terreni agricoli. Invece di organizzare eserciti di soldati, gli stati della periferia moderna hanno organizzato eserciti di lavoratori. In entrambi i casi, i trasferimenti di risorse sono iniziati come politiche adottate in risposta a gravi crisi. Ma risposte a breve termine a una crisi immediata spesso hanno conseguenze a lungo termine e impreviste.

Nel caso romano, gli insediamenti iniziali in Spagna e in Gallia negli anni successivi al 410 erano un modo per gestire i migranti espulsi dallo spostamento degli unni. Gli insediamenti creavano potenti entità periferiche sul territorio romano, ma, a quel punto, il centro imperiale rimaneva la potenza di gran lunga più consistente entro l'Impero d'Occidente nel suo insieme. Quando tali insediamenti si diffusero nel Nordafrica negli anni dopo il 430, però, l'equilibrio di potere economico e quindi politico si era modificato sostanzialmente a danno del centro. Questo processo poi continuò finché, dopo il fallimento nel 468 dell'ultimo tentativo di Costantinopoli di salvare l'Occidente distruggendo il regno dei vandali in Nordafrica, le periferie in ascesa (visigoti, vandali e burgundi in testa) riuscirono in breve a rovesciare le ultime vestigia dell'influenza del centro, prendendo il controllo di quanto rimaneva delle sue terre agricole generatrici di ricchezza. L'Occidente moderno è forse destinato a seguire una traiettoria simile fino all'effettiva scomparsa, perdendo il controllo di una massa critica delle sue risorse produttive?

Il declino relativo dell'Occidente moderno, e la minaccia potenziale rappresentata dalla Cina, hanno già prodotto due tipi di risposta da parte dei governi occidentali, a cui riesce difficile non anelare allo *status quo* o almeno a qualcosa di simile a esso. La presidenza Trump ha cercato di minare alla base il crescente *soft power* della Cina tarpandone le ali economiche, una strategia esplicita nei suoi sforzi di imporre accordi commerciali più rigidi. Inoltre diversi governi occidentali hanno cercato di riaffermare la propria presenza militare per porre un freno a quello che percepiscono come avventurismo cinese; il segretario alla Difesa britannico ha annunciato nel 2019 che avrebbe inviato nel Mar Cinese Meridionale la nuova portaerei del paese. Via via che Pechino estende il suo raggio d'azione, approssimandosi pericolosamente a una sfera d'influenza americana di vecchia data nel Pacifico, le tensioni sono destinate ad aumentare. È la «trappola di Tucidide», ovvero la presunta regola secondo la quale una potenza declinante, e in precedenza dominante, a un certo punto finirà per muovere guerra a una rivale in ascesa.

Per quanto possano sembrare attraenti a certi tipi di pubblico in Occidente, simili atteggiamenti sbrigativi finora non hanno dato molti frutti. Il governo cinese ha messo immediatamente a tacere lo spericolato segretario alla Difesa britannico, ricordando a Londra – in termini che non davano adito a dubbi – che non viveva più nel XIX secolo. A quei tempi la Gran Bretagna aveva predicato un vangelo di libero commercio precisamente perché disponeva delle cannoniere per costringere i mercati cinesi ad accettare i suoi prodotti industriali e l'oppio indiano. Oggi la Gran Bretagna ha bisogno del permesso di Pechino per accedere ai mercati cinesi, e la sua ansia di assicurarsi un accordo commerciale post-Brexit con la Cina ha costretto il governo di Londra a fare marcia indietro e a brindare al «rapporto saldo e costruttivo» tra i due paesi, chiarendo nel contempo che la portaerei non sarebbe andata da nessuna parte per almeno un paio d'anni.

Anche se gli Stati Uniti hanno un peso maggiore da mettere in campo rispetto alla Gran Bretagna, non è chiaro che cosa avrebbero da guadagnare nel farlo. Donald Trump promise che sarebbe stato «opportuno e facile» vincere una guerra commerciale con la Cina, ma la cosa finì per danneggiare ulteriormente gli Stati Uniti. L'allora presidente sostenne che le tariffe doganali imposte nel 2018 per costringere la Cina a tornare al tavolo delle trattative sarebbero state pagate dalle aziende cinesi, ma il conto se lo dovettero accollare gli americani, sotto forma di prezzi più alti, di minori esportazioni, e di una perdita stimata di trecentomila posti di lavoro nel corso dello stallo. E mentre la produzione industriale americana diminuì durante la disputa, la Cina non fece altro che sostituire le vendite negli Stati Uniti con esportazioni in altri mercati. Dato lo stretto intreccio stabilitosi tra l'economia americana e quella cinese negli ultimi decenni, qualunque possibile danno economico che gli Stati Uniti potessero infliggere alla loro rivale produrrebbe inevitabilmente un corrispondente danno collaterale all'interno.

Qui la lezione più importante che possiamo trarre dalla storia romana è che il confronto aperto con una superpotenza rivale non è un buon modo per preservare ciò che rimane della propria supremazia, in una fase in cui altri sviluppi stanno mettendo in discussione il perdurare della propria potenza globale. Roma e la Persia non si amarono mai. Litigavano sui confini, sui legami commerciali e sul controllo dei clienti; propagandavano anche ideologie concorrenti. Entrambe pretendevano di essere sostenute in modo esclusivo da differenti divinità onnipotenti, il che portava a concezioni del mondo in ultima analisi incompatibili. Ma, una volta apparso chiaro verso la fine del III secolo che nessuna delle due aveva la forza di sottomettere l'altra, il conflitto fu perlopiù limitato a una serie di zuffe tanto per poterne menare vanto a breve termine, il che non comprometteva i meccanismi vitali né dell'uno né dell'altro sistema. E quando entrambe si ritrovarono contemporaneamente minacciate da aggressive potenze nomadi della steppa verso la fine del IV secolo e nel V, passarono dal sospetto reciproco alla cooperazione pratica, ridefinendosi a vicenda come le «luci gemelle del firmamento» (per dirla con un imperatore romano) e rifiutando coerentemente di litigare sulle stesse questioni che le avevano viste ai ferri corti in precedenza.

Quando la minaccia nomade tornò ad allontanarsi intorno all'anno 500, ben presto Roma e la Persia ricaddero nelle vecchie dinamiche di confronto. L'imperatore Giustiniano (527-565) dimostrò una particolare propensione per l'aggressione in un regno che si caratterizzò per l'avventurismo militare. Questo più o meno funzionò per lui (nonostante alcune gravi sconfitte, ottenne vittorie in numero sufficiente per poter proclamare che Dio sosteneva il suo trono), ma, a più lungo termine, le sue gesta diedero una spinta all'intensificazione del confronto, cosicché entrambi gli imperi abbandonarono le vecchie remore, cercando invece vittorie molto più grandi. Tale processo culminò all'inizio del VII secolo in venticinque anni di guerra totale (603-627), che si conclusero con una situazione di stallo e con entrambi gli imperi in completa rovina. Il conseguente vuoto di potere fu immediatamente sfruttato dal mondo arabo islamico appena riunificato per cambiare in modo irrevocabile la faccia della storia del Mediterraneo e del Vicino Oriente. L'Impero persiano cessò di esistere subito dopo il 650, e Costantinopoli, come abbiamo visto, perse così tanto del suo territorio da essere ridotta da impero globale a potenza regionale.

Il messaggio qui è semplice, ma salutare. La potenza cinese non è destinata a scomparire, e confrontarsi a muso duro con essa, a livello economico o politico, sarà di certo controproducente. Gli armamenti moderni sono tali che un conflitto tra superpotenze potrebbe distruggere non soltanto i protagonisti principali, ma l'intero pianeta. E anche forme molto più limitate di confronto prolungato comprometterebbero probabilmente qualsiasi possibilità di cooperazione di fronte a una gamma di pressanti questioni globali che con tutta evidenza richiedono un'impostazione collaborativa: non ultimi l'inquinamento, la popolazione, le malattie e il riscaldamento globale. I governi occidentali, perciò, faranno bene a scegliere con cura le loro battaglie, giungendo al confronto con Pechino solamente sulle questioni in cui il comportamento cinese minaccia o princìpi irrinunciabili per l'Occidente o la stabilità dell'ordine globale, come nei casi del trattamento delle minoranze etniche da parte della Cina, delle sue possibili violazioni delle leggi o dei trattati internazionali – con Hong Kong che incombe come esempio preoccupante in questa discussione – o della sua crescente ostilità nei confronti di Taiwan (e anche così possiamo aspettarci trattative particolarmente dure, dato che le differenze tra le parti su alcune di queste questioni sono di carattere esistenziale per i cinesi).

I cinesi avranno bisogno di sfruttare anche una delle loro risorse più strategiche, che il loro comportamento, fino a tempi molto recenti, tendeva a minare: le alleanze. Mentre la maggior parte dei paesi occidentali appartiene a vaste e potenti alleanze militari, la Cina agisce da sola. Il coordinamento diplomatico tra paesi con differenti interessi non è mai facile, ma presumibilmente risulterà più efficace dei metodi di recente preferiti nell'America di Trump o nella Gran Bretagna della Brexit, ovvero quelli del «facciamo da soli». Il ritiro della Gran Bretagna dall'Unione europea, per esempio, ha significato che la sua «strategia» (per mancanza di una parola più adatta) di modernizzare le proprie infrastrutture di comunicazione utilizzando tecnologia cinese a buon mercato è divenuta ostaggio del suo bisogno ugualmente pressante di accattivarsi il favore di un'amministrazione americana da cui voleva un accordo commerciale. Procedere da soli come potenza medio-piccola di solito significa indebolirsi di fronte ai battaglioni davvero grandi. Molto più efficace è il tipo di reazione unitaria dell'Occidente seguita all'invasione dell'Ucraina da parte di Putin, quando gli alleati occidentali si sono coordinati rapidamente per prendere posizioni comuni che hanno portato a ingenti flussi di aiuti militari e di altro genere a Kyïv, e all'imposizione di devastanti sanzioni all'economia russa.

Tenendo conto di tutta la potenza economica e politica che è venuta accumulandosi nella vecchia periferia imperiale negli ultimi decenni, l'ovvia mossa ulteriore sarebbe cercare di allargare i sistemi di alleanze occidentali esistenti, reclutando i numerosi paesi in via di sviluppo che, almeno in teoria, condividono strutture occidentali di democrazia e libertà, come l'India, il Sudafrica e il Brasile, costruendo così una coalizione più ampia di stati su un piede di parità. Alcuni di questi (l'India in particolare) hanno comunque proprie ragioni per volersi assicurare contro una potenza cinese senza restrizioni. Per adottare questa strategia occorrerebbe accettare alcune limitazioni del tradizionale dominio globale dell'Occidente, ma tale impostazione offre migliori possibilità di preservare il cuore dei valori occidentali nell'inevitabile èra postimperiale.

Il grande vantaggio di una simile impostazione oggi sarebbe quello di costruire un più efficace contrappeso alla Cina nei negoziati internazionali. Per avere successo, però, questa strategia avrebbe bisogno di una maggiore, e non minore, apertura da parte dei paesi occidentali, e probabilmente anche di aiuti consistenti per sostenere queste iniziative diplomatiche. Una delle ragioni per cui la Cina si è assicurata tanti accordi commerciali favorevoli e tante opportunità di investimento in tutto il mondo in via di sviluppo è il fatto che è più disponibile di molti paesi occidentali a mostrarsi generosa. Assumere un impegno significativo nei confronti della vecchia periferia è una prospettiva più promettente per il futuro, ma andrebbe in controtendenza rispetto agli umori politici attualmente prevalenti in Occidente, che vogliono tagliare i fondi destinati agli aiuti per concentrare l'assistenza all'interno o per beneficiare gli esportatori del proprio paese. La decisione del governo britannico di chiudere nel 2020 la sua agenzia per gli aiuti internazionali – diffusamente ammirata come una delle più efficaci al mondo, e ora ricompresa in un ministero degli Esteri già eccessivamente dilatato –, ma di proseguire nella costruzione della sua portaerei, probabilmente ha fruttato qualche voto nelle contee conservatrici. In termini globali, però, ha significato rinunciare a uno dei più potenti mezzi della Gran Bretagna per esercitare il proprio *soft power* al fine di brandire un *hard power* che sembrava decisamente fiacco: non essendo disponibili jet per utilizzarlo, il ponte di volo della portaerei è stato dato in prestito agli americani.

Non è soltanto una questione di soldi. Mentre le tendenze politiche autoritarie sono in crescita in molte democrazie del Terzo Mondo, i politici occidentali che vogliono riorientare i loro rapporti internazionali in direzione di un maggiore impegno sono probabilmente destinati ad affrontare un'altra sfida. Tutti i principali obiettivi potenziali di simili aperture hanno buone ragioni di carattere storico – diversi secoli di dominazione basata sullo sfruttamento – per nutrire sospetti sulle motivazioni dell'Occidente. Durante la guerra in Ucraina, per esempio, nelle capitali occidentali si è fatto un gran parlare di come la Russia fosse totalmente isolata nel mondo. Ma in realtà più di metà dell'umanità è rappresentata da governi che si sono astenuti nella votazione principale dell'Assemblea generale delle Nazioni Unite sulla condanna della Russia. Agli occhi di molta gente e di molti governi dell'Africa, c'era poco da guadagnare nel prendere posizione in un conflitto che coinvolgeva un paese con cui non avevano un contenzioso, e che (nella vecchia veste di Unione Sovietica) aveva sostenuto la loro lotta per l'indipendenza contro quegli stessi paesi che ora pretendevano la loro solidarietà.

Lo stesso antefatto storico spiega almeno parzialmente il successo che la Cina ha avuto nello stabilire relazioni cordiali con parte del mondo in via di sviluppo. Sebbene Pechino sia spesso criticata perché ignora le violazioni dei diritti umani nei paesi cui presta assistenza, la sua studiata adesione al principio di non intervento è ben accolta in molti paesi in via di sviluppo con ricordi freschi dell'alternativa coloniale occidentale. Ciò risulta particolarmente vero nel momento in cui l'Occidente può ancora produrre leader che rilasciano dichiarazioni shoccanti – per non parlare dell'analfabetismo storico – come quella secondo cui l'Africa «può essere una macchia, ma non è una macchia sulla nostra coscienza», fatta nel 2002 da un futuro primo ministro britannico, il quale lasciava intendere che il principale problema del continente fosse di non essere più governato dalla Gran Bretagna. La maggior parte degli africani, al contrario, sono ben consapevoli di dover cominciare a costruire i loro paesi sui residui di una lunga storia di sfruttamento economico e di repressione politica, il che aiuta a spiegare perché l'alleanza occidentale ebbe difficoltà a suscitare grande entusiasmo tra gli africani per i suoi sforzi di isolare la Russia nel 2022. Dov'era l'equivalente sostegno, potevano giustamente lamentare questi ultimi, quando noi cercavamo di isolare il Sudafrica dell'apartheid?

Se i paesi occidentali vogliono contrastare l'espansione cinese nella periferia globale, la loro narrazione dovrà necessariamente cambiare, passando da un'implicita determinazione a preservare la grandezza dell'Occidente a spese (se ce ne fosse bisogno) dei paesi in via di sviluppo, a una scelta di assisterli nel rafforzamento sia della loro prosperità complessiva sia delle loro strutture sociali e governative. In effetti, ciò significherebbe allargare il club ristretto del vecchio nucleo imperiale in modo da includere una più ampia gamma di voci nelle organizzazioni e nei negoziati internazionali, su basi significativamente più paritarie di quelle implicitamente offerte dall'impostazione di Clinton al vertice di Seattle del 1999 (in verità, alcuni dei leader ribelli di quel vertice sarebbero buoni candidati a divenire membri del club).

Unico leader e coordinatore plausibile di un simile blocco allargato – più in generale democratico e basato sullo stato di diritto piuttosto che sul semplice fatto di essere occidentali – sarebbero ancora gli Stati Uniti, che, per esercitare con coerenza tale ruolo, dovrebbero smorzare le proprie tendenze isolazioniste di vecchia data in favore dei vantaggi potenzialmente maggiori della cooperazione. Gli altri governi del vecchio Impero occidentale dovrebbero a loro volta impegnare un livello appropriato di risorse nel progetto per farlo funzionare, e per rendere più facile venderlo agli elettorati americani. Come mostrano le recenti esperienze della NATO e dell'Unione europea, per non parlare dei dibattiti del WTO dopo il vertice di Seattle, mantenere la coesione nel corso di un allargamento è una sfida che richiede il massimo della diplomazia, perché la discussione deve dare spazio a un gran numero di voci spesso contrastanti. Ma l'alternativa, in cui ciascuno stato fa per conto suo, se rende più facile per il singolo paese arrivare a delle decisioni, comporta anche che tali decisioni finiscano per avere scarso o nessun valore.

Una maggiore partecipazione a un più ampio blocco internazionale, aperto alla discussione in termini più equi delle esigenze dell'insieme allargato dei suoi membri, fornirebbe anche un meccanismo per far sì che alcuni dei prodotti migliori della moderna civiltà occidentale fossero saldamente integrati nel nuovo ordine globale. Sebbene l'Occidente abbia utilizzato la ricchezza di altri per finanziarne lo sviluppo, concetti come quelli di stato di diritto, di istituzioni pubbliche relativamente imparziali ed efficienti, di stampa relativamente libera e di politici opportunamente tenuti a rispondere del loro operato accrescono in misura rilevante la qualità complessiva della vita in qualsiasi paese. Infatti, alcuni dei critici più accesi dell'Occidente muovono obiezioni non ai suoi valori di libertà individuale e democrazia, ma al fatto che esso non ha sempre praticato nel resto del mondo ciò che predicava. Un'attenzione ostinata a questo tipo di solidi valori, risultando più aperta all'accettazione della legittimità di preoccupazioni non occidentali, eserciterà al tempo stesso sui cittadini della periferia in ascesa un'attrattiva maggiore della nostalgia per la presunta gloria passata del dominio mondiale dell'Occidente, che è gradita a certi settori degli elettorati occidentali.

Come abbiamo visto nel capitolo V, la sopravvivenza della civiltà romana fu resa possibile soltanto grazie alla negoziazione. Sul continente, la negoziazione tra le élite e le dinastie emergenti fece sì che il nuovo ordine postromano incorporasse alcuni aspetti caratteristici della romanità, quali la lettura e la scrittura in latino, il cristianesimo, e una tradizione di legge scritta. È importante non idealizzare il significato di queste forme culturali. Esse erano importanti principalmente per le élite romane, e sopravvissero perché in seguito risultarono altrettanto attraenti per le élite non romane. Non potrebbe, però, essere più netto il contrasto con l'esito prodottosi a nord della Manica, dove nessun membro dell'élite proprietaria romana riuscì a trovare un posto nel nuovo ordine, e tutti gli aspetti caratteristici della vita romana scomparvero. Alla fine, alcuni di questi (il cristianesimo, la legge scritta e l'uso del latino) furono reintrodotti nell'Inghilterra anglosassone a partire dalla fine del VI secolo, quando i suoi re, inesorabilmente attratti dalle reti economiche in via di sviluppo nella vicina Europa metropolitana, scoprirono che l'assimilazione culturale era la via migliore per arrivare agli accordi più proficui. Ma ciò non sarebbe accaduto se questi vecchi valori romani non fossero già riusciti a integrarsi saldamente nel resto dell'Occidente postromano.

Perché gli stati occidentali di oggi possano negoziare con successo, sarà cruciale che adottino una posizione ricca di sfumature nei confronti della stessa Cina. Dovranno tener separate le politiche cinesi che minacciano quanto c'è di meglio nella tradizione occidentale da quelle che riflettono il desiderio perfettamente legittimo della Cina di riprendere il suo posto abituale come una delle grandi potenze a livello mondiale e di ribaltare qualche detrito residuo di arrogante imperialismo occidentale. Anche se il confronto periodico sarà di certo una caratteristica della relazione, tornare a una retorica uniformemente ostile da Guerra fredda sarebbe autolesionista. Cooperazione economica, cooperazione politica e culturale dovranno essere a loro volta caratteristiche costanti di qualsiasi ricetta politica di successo. Nonostante il suo atteggiamento sempre più risoluto, la proiezione bellica della Cina per ora non si spinge molto oltre le sue vicinanze immediate. Prima di fare proclami altisonanti, per esempio, i ministri della Difesa occidentali potrebbero chiedersi che effetto farebbe a loro un annuncio della Cina di essere in procinto di inviare una portaerei nel canale della Manica o nel Mar dei Caraibi. Attorniata da rivali poco amichevoli – dalla flotta statunitense del Pacifico a vicini come l'India e il Vietnam con cui ha combattuto guerre di cui è ancora vivo il ricordo – c'è da aspettarsi che la Cina avverta il bisogno di proteggere la sua crescente prosperità economica con un perimetro difensivo più consistente.

Per ora, almeno, ci sono buone ragioni per credere che la crescente impronta militare della Cina rispecchi semplicemente la sua crescente impronta economica, e la valutazione della sua aggressività a volte è complicata dal fatto che è impegnata in un confronto con vicini il cui stesso comportamento non di rado fa pensare a intenti tutt'altro che benevoli. A seconda del punto di vista, la guerra di confine del 2020 tra Cina e India potrebbe essere vista o come una misura offensiva da parte cinese o come una mossa preventiva contro un governo di Delhi sempre più litigioso e sciovinistico. Fondamentalmente, l'eccezionale ruolo globale di poliziotto dell'ordine mondiale che l'America riuscì ad assumere dopo la Seconda guerra mondiale rifletteva un breve ed eccezionale vuoto di potere in Asia. Con il ritorno della Cina al suo posto storico, la stessa impronta militare dell'America ora dovrà inevitabilmente ridursi, ma senza in alcun modo scomparire come garanzia della continuità della pace e della stabilità, specialmente se sarà possibile costruire una rete di alleanze per bilanciare il ruolo della Cina, senza peraltro minacciarlo direttamente.

La pura e semplice scala dimensionale della Cina, e la sua crescente influenza economica e diplomatica in tutto il mondo in via di sviluppo, suggeriscono che sarà impossibile evitare di includerla in qualsiasi strategia di transizione a una nuova architettura politica globale, nonostante le innegabili differenze istituzionali e ideologiche. Per quanto umiliante ciò possa essere per paesi occidentali che fino a non molto tempo fa dicevano alla Cina che cosa fare, la storia ci dice che l'alternativa è molto peggiore. L'attuale contesto globale propone sfide più grandi e più minacciose di quella dei nomadi che spinse Roma e la Persia a una più stretta cooperazione. Qualunque alleanza allargata a guida americana farebbe molto bene a presentarsi come fondamentalmente cooperativa nel suo atteggiamento verso la Cina, la luce gemella del moderno firmamento globale, nonostante il fatto che ci saranno indubbiamente conflitti e tensioni. I più significativi vantaggi potenziali di una simile impostazione vanno ben oltre l'economia. È difficile immaginare come il mutamento climatico e le ulteriori conseguenze della rivoluzione demografica possano mai essere affrontati in modo efficace in assenza di una strategia globale in senso lato. Prevenire ulteriori tragedie del tipo di quelle che hanno afflitto la Libia, l'Afghanistan e la Siria quando i loro fragili governi sono crollati sarebbe del pari molto più facile in un contesto più propenso alla cooperazione che al confronto. Già l'Europa ha dimostrato, con la sua reazione coordinata e altamente efficace all'ondata di rifugiati ucraini del 2022, di avere imparato dagli errori commessi nell'affrontare in modo caotico e in ordine sparso la crisi dei rifugiati del 2015.

Entrando nel terzo decennio del nuovo millennio, quindi, i paesi occidentali si trovano di fronte a molteplici sfide, mentre vedono intorno a sé il nuovo ordine mondiale prendere forma. Proprio come, secoli prima, Roma dovette affrontare insieme la Persia e le confederazioni di frontiera, così il blocco delle nazioni occidentali, con l'ascesa della Cina, deve fare i conti sia, per la prima volta, con una superpotenza rivale, sia con processi irreversibili di sviluppo nell'ex periferia imperiale che hanno generato nuove voci importanti con un peso economico e politico sufficiente a imporre un serio ascolto. La risposta senz'altro più facile da vendere al pubblico di casa ancora sotto l'influenza della storia coloniale è il confronto, in termini economici e probabilmente anche politici. Ma ciò ha dei costi ingenti, potenzialmente rovinosi, rispetto alla scelta più realistica ma meno immediatamente popolare di accettare l'inevitabilità dell'ascesa della periferia e di tentare di interagire con essa.

Pertanto, ridotta all'essenziale, la risposta alla domanda con cui si è aperto questo libro è chiara. L'Occidente non può tornare a essere grande com'era un tempo. Le placche tettoniche dell'organizzazione economica su cui quelle strutture politiche poggiavano si sono spostate in modo definitivo, e nulla potrà farle tornare indietro. I politici occidentali devono dire ai loro cittadini la verità su questo punto, e procedere nella costruzione del nuovo ordine mondiale, meno viziato di autocompiacimento, che in realtà difenderebbe gli interessi loro (e di chiunque altro) in modo più efficace.

Se mancheranno di farlo, dando la preferenza al confronto per puntellare la posizione globale del mondo occidentale nel breve periodo, le conseguenze a più lungo termine saranno probabilmente disastrose. Perché, se le conseguenze geostrategiche della globalizzazione costituiscono una sfida già abbastanza impegnativa, è probabile che nei prossimi decenni una seconda minaccia fondamentale ai valori dell'Occidente si generi molto più vicino a casa.

VIII

MORTE DELLA NAZIONE?

Il 23 giugno 2016, il 72,2 per cento dell'elettorato britannico si recò alle urne votando con un margine ristretto – 51,9 per cento contro 48,1 per cento – per lasciare l'Unione europea. Nell'immediato questa fu una vittoria della campagna per la Brexit, la trovata comune dei politici conservatori e dell'organizzazione Vote Leave, ma il voto mise in luce anche una profonda frattura tra i cittadini britannici votanti. C'è un «centro» che non è particolarmente acquisito a nessuna delle due posizioni, ma esso si colloca tra settori dell'elettorato favorevole e contrario le cui linee di schieramento restano tracciate con nettezza. Mezzo decennio di manovre successive non ha fatto che accentuare la frattura. E la Gran Bretagna non ha l'esclusiva di questa sorprendente mancanza di consenso nell'attuale dibattito politico. Negli Stati Uniti, i comizi elettorali di Donald Trump nel 2016 salutavano ogni citazione del nome della sua avversaria Hillary Clinton con grida di «In galera!», a riprova della risposta entusiastica della sua base elettorale al messaggio politico deliberatamente divisivo del suo campione. Analogamente, nell'inverno 2018-2019, le principali città francesi furono scosse da mesi di violente manifestazioni di piazza da parte dei *gilets jaunes*, che erano iniziate come proteste contro l'imposta sui carburanti ma in breve si erano evolute in una vasta ribellione contro un'élite governativa vista come remota e distaccata.

Anche nel V secolo, lo stesso tipo di divisione interna era diventato una caratteristica distintiva del dibattito politico nei territori residui dell'Impero d'Occidente. L'opinione dell'élite era divisa su come preservare al meglio la propria preminenza sociale ed economica di fronte a un centro imperiale la cui potenza era in declino, essendo alle prese con un cocktail formato da esigenze fiscali in aumento e dal crescente potere politico delle confederazioni barbariche. Alcuni erano pronti ad abbracciare un nuovo ordine politico di regni barbarici pienamente indipendenti, mentre altri, come lo stesso Sidonio (vedi p. 123), volevano rimanere romani a tutti i costi. Tali divisioni svolsero un ruolo fondamentale nelle fasi terminali del crollo di Roma. Nell'Occidente moderno si possono discernere numerose vene distinte di risentimento entro l'evidente clima di rancore proprio di tutte le proteste e le divisioni. Ma, come le fratture politiche che affliggevano la Roma del V secolo, questo clima ha un unico catalizzatore fondamentale, e le sue conseguenze complessive potrebbero porre una minaccia esistenziale agli stati-nazione del mondo occidentale moderno.

Patrie per eroi

Tutti gli stati che funzionano sulla base del consenso politico poggiano su un qualche genere di contratto fiscale: un insieme di ragioni fondamentali per cui i contribuenti sono disposti a finanziare la struttura entro cui vivono. L'Impero romano, come la maggior parte degli stati premoderni, operava con una versione estremamente semplificata di tale contratto. Le sue strutture statali essenzialmente provvedevano soltanto alla difesa e all'imposizione della legge con una quota limitata di protezione, perlopiù riservata a un ristretto bacino politico di proprietari terrieri. All'incirca tre quarti delle sue entrate fiscali venivano spesi per mantenere un esercito professionale, che proteggeva gli interessi di questa base di proprietari contro le minacce sia esterne sia interne. In cambio i proprietari terrieri dovevano versare una percentuale delle loro eccedenze agricole e gestire le necessarie istituzioni amministrative. L'altra essenziale struttura centralizzata dell'impero era il suo sistema giuridico, che a sua volta serviva gli interessi dei proprietari terrieri definendo e proteggendo la proprietà privata e predisponendo una serie di misure per consentirne lo sfruttamento e la trasmissione nel tempo (mediante eredità, accordi matrimoniali e vendite). La grande maggioranza della popolazione non era coinvolta in nessuno dei procedimenti politici dello stato e non aveva voce in capitolo né per quanto riguardava le aliquote con cui le tasse venivano prelevate né per quanto riguardava la loro destinazione. Lo stato offriva ben poco in termini di assistenza diretta, a parte distribuzioni di pane e spettacoli circensi per contribuire a mantenere la pace in un pugno di grandi città. Fondamentalmente, la massa della popolazione contadina aveva a disposizione poche opzioni per esercitare un'influenza significativa sull'entità politica in cui viveva.

La rivolta su vasta scala non fu, però, una caratteristica della storia romana, e l'unico sbocco realistico per il dissenso dei contadini malcontenti erano la piccola delinquenza e il brigantaggio. Non si vuole dire con questo che il corso della storia imperiale sia stato tranquillo: niente affatto. Durante tutta la sua esistenza, insuccessi militari potevano provocare guerre civili, specialmente quando comunità di proprietari terrieri si sentivano ignorate o non protette nei momenti di pericolo; ma si trattava di lotte per controllare il sistema a beneficio di particolari gruppi di interesse, non per abbandonarlo del tutto. I singoli proprietari erano sempre desiderosi di pagare meno tasse, e si accapigliavano a livello locale per minimizzare i propri contributi, ma erano in generale soddisfatti del contratto. Soltanto quando l'invasione dall'esterno e l'annessione nel V secolo minarono la capacità dell'impero di difendere i suoi proprietari terrieri la situazione effettivamente cambiò. A quel punto i proprietari, di provincia, volenti o nolenti, furono costretti a stringere nuovi accordi con gli intrusi provenienti dall'esterno per mantenere un certo controllo sulle loro tenute fisicamente impossibili da spostare. Una volta che l'impero non fu più in grado di rispettare la parte di sua competenza del patto, quest'ultimo andò rapidamente in pezzi, e la dissoluzione finale del sistema imperiale durò meno di una generazione, mentre i proprietari terrieri di provincia, dovunque tale opzione fosse disponibile, negoziavano nuovi rapporti con il più probabile sovrano barbaro entro la loro sfera di interesse (vedi p. 124).

Viceversa, i moderni stati occidentali poggiano su basi politiche molto più ampie, che coinvolgono una percentuale molto maggiore della popolazione, e operano con un contratto fiscale assai più articolato. Dalla seconda metà del XIX secolo le strutture statali si sono evolute in tutto l'Occidente per fornire (in differenti combinazioni) una vasta gamma di servizi a tutti i loro cittadini: dall'assistenza sanitaria e dall'istruzione al sostegno al reddito e alla sicurezza. Questi servizi sono stati resi possibili dalle eccedenze di entrate incomparabilmente maggiori che venivano messe a disposizione dei governi dall'industrializzazione, combinate con l'accresciuta capacità burocratica sviluppata dagli stati per gestirle. Tale stupefacente rivoluzione richiese anche importanti mutamenti ideologici riguardo a ciò che i governi *dovrebbero* fare. Il massiccio aumento dei servizi forniti fu in parte un risultato del livello più alto di richieste che gli stati moderni cominciarono a rivolgere ai loro cittadini. La cronologia di tali sviluppi correlati è chiara. La coscrizione di massa e il conflitto globale vennero prima, quando Gran Bretagna e Francia entrarono in lotta per il dominio del mondo verso la fine del XVIII secolo e nell'epoca delle guerre napoleoniche, generando la conseguente esigenza di una struttura politica che si prendesse cura dei cittadini a cui si richiedeva di fare simili sacrifici.

Ma l'avvento di quello che sarebbe diventato il *welfare state* fu anche un effetto dei modi fondamentali in cui l'industria moderna alterò l'equilibrio di potere tra le classi sociali. Sempre più urbanizzate e altamente organizzate entro grandi e complessi luoghi di lavoro, le classi lavoratrici acquisirono un grado di sostanziale influenza politica inaccessibile ai loro antenati rurali. I contadini medievali *potevano* costituire una minaccia temporanea all'ordine sociopolitico esistente, come scoprì il re Riccardo II nel 1381. In quell'anno, un vasto gruppo di lavoratori rurali si radunò dalle contee più vicine a Londra, e marciò sulla città in una rivolta di massa che pretese le vite sia del Lord Mayor che dell'arcivescovo di Canterbury. Per porre fine alle proteste, il re non ebbe altra scelta che concedere uno statuto delle libertà. Poi però i dimostranti dovettero tornare a casa, perché avevano esaurito il cibo. Una volta dispersi, il re non solo stracciò lo statuto, ma inviò anche piccoli gruppi di armati in giro per le contee nei dintorni di Londra a regolare i conti con i singoli capi rivoltosi.

A differenza dei contadini delle campagne, però, i lavoratori dell'industria affluivano numerosi nelle città, e vi restavano in modo permanente. Di fronte alle crescenti pretese dei movimenti sociali che sorgevano per rappresentare questo nuovo segmento di umanità, e che minacciavano di portare a una guerra di classe aperta, i governi allentarono la tensione utilizzando una parte dei profitti dell'industrializzazione per costruire passo dopo passo le più consensuali forme sociali dell'Occidente moderno: estensione del diritto di voto, miglioramento delle condizioni di lavoro e riduzione della settimana lavorativa, aumento dei salari e rafforzamento della sanità pubblica. Il cancelliere fondatore della Germania, Otto von Bismarck, non era certo un liberale dal cuore tenero, ma sapeva riconoscere un'opportunità quando ne vedeva una, e si rese conto che istituire i primi sistemi pensionistici pubblici e le prime forme al mondo di assicurazione sul lavoro era la maniera più sicura per strappare voti ai socialdemocratici che tanto detestava. Attraverso questi passaggi gradualmente si evolvette un nuovo tipo di rapporto tra governo e popolazione, incarnato nel principio di cittadinanza, in cui ricchi e poveri condividevano uno status legale comune (anche se non sempre c'erano le risorse per sostenerlo), e tale sviluppo raggiunse il suo zenit nei decenni successivi al 1945. Un lungo periodo di relativa armonia politica fu costruito intorno alla sostanziale accettazione dell'idea che lo stato *dovrebbe* creare «un paese adatto agli eroi», i cui cittadini sarebbero assisti-ti dalla culla alla tomba, e che era ragionevole che gli stati imponessero i livelli più alti di tassazione necessari per fi-nanziarlo. In Gran Bretagna sia i laburisti sia i conservato-ri condussero la campagna elettorale del 1945 promettendo di creare un *welfare state*, e in quel periodo simili idee – sia pure in differenti combinazioni e con differente portata – si diffondevano in tutto il mondo occidentale. Il dibattito po-litico era in gran parte limitato allo scontro su quante tas-se di preciso si dovessero pagare, su chi dovesse pagarle e su come esattamente si dovessero spendere, senza alcuna ostilità di fondo al sistema nel suo complesso.

Questa Età dell'oro di armonia e riforme sociali, pur es-sendo spesso enfatizzata fino a oscurare le divisioni anche troppo reali che rimanevano (come la razza, specialmente negli Stati Uniti), è stata sovente attribuita a valide leader-ship politiche e a una condotta economica progressista, in particolare keynesiana. Entrambi i fattori svolsero indubbia-mente un ruolo, ma altrettanto fece la persistente suprema-zia del mondo occidentale nel sistema economico globale. I flussi netti di ricchezza in entrata dagli imperi delle po-tenze europee nel XIX secolo avevano consentito ai gover-ni di iniziare a elevare i livelli di vita della classe lavoratri-ce senza dover tassare pesantemente i ricchi. Le fabbriche di Manchester facevano affidamento sulle vendite in India e sul cotone a buon mercato che ne proveniva per gonfia-re i salari senza diminuire i profitti. In effetti, l'armonia so-ciale veniva comprata esternalizzando lo sfruttamento nel-le colonie. Nelle «province», inclusi gli ormai indipendenti Stati Uniti, l'effetto veniva analogamente ottenuto apren-do nuovi territori alla colonizzazione e allo sfruttamento da parte degli europei. I disordini per la disoccupazione e la povertà a New York o a Baltimora, che si diffusero dopo la guerra civile con lo sviluppo delle ferrovie, potevano es-sere disinnescati incoraggiando i giovani maschi ad andare all'Ovest e a iniziare una nuova vita. Processi analoghi si sviluppavano in Australia e in Canada. E anche i paesi occi-dentali che non possedevano propri imperi potevano trarre beneficio dall'ascesa di quelli altrui nella misura in cui erano in grado di esportare nel sistema imperiale emergente.

Dopo la Seconda guerra mondiale, mentre l'Impero occidentale raggiungeva la sua fase di sviluppo postcoloniale e confederale, la prosperità toccò il culmine, e videro la luce le più ambiziose strutture di welfare governative che il mondo abbia mai conosciuto, come il Servizio sanitario nazionale britannico. Gli sviluppi politici e ideologici all'interno dei paesi occidentali hanno un ruolo centrale in questa vicenda, ma è di importanza vitale comprendere che questo straordinario edificio fu costruito sulla base di un flusso di ricchezza che perveniva in Occidente dal mondo meno sviluppato e che forniva gran parte delle entrate necessarie. Tutto ciò contribuisce a spiegare perché la relativa armonia sociale e politica del periodo postbellico oggi mostri la corda.

Vincenti e perdenti

La globalizzazione neoliberista degli anni Ottanta e Novanta del XX secolo portò in superficie una fragilità di fondo sottostante al relativo consenso postbellico. Invece di resuscitare il dinamismo economico ad ampia base dei decenni immediatamente successivi al 1945, il neoliberismo ripristinò in misura sproporzionata la prosperità crescente per certi gruppi entro le società occidentali. Mentre quasi tutti in Occidente fino a questo punto avevano beneficiato in un modo o nell'altro dei flussi di ricchezza provenienti dalla periferia, il nuovo ordine economico prodotto dalla globalizzazione incrementava il flusso di ricchezza principalmente in direzione di particolari sottogruppi della società occidentale, tagliando i mezzi di sussistenza produttivi di molti altri. L'effetto complessivo fu di generare una situazione in cui i principali vincenti e perdenti dell'ultima iterazione dell'organizzazione economica globale ora vivevano fianco a fianco entro lo stesso tipo di confini, in luogo di una situazione come quella precedente in cui la maggior parte dei perdenti era situata a una distanza di sicurezza

politica: all'estero. Di fatto, lo sfruttamento e la deprivazio-
ne che erano stati esternalizzati nel XIX secolo e all'inizio
del XX ora rimbalzavano in Occidente.

I più ovvi beneficiari economici erano i proprietari e gli
azionisti delle aziende che spostavano la produzione all'e-
stero. Ma, dato il valore crescente riconosciuto alle idee e
alla creatività nella nuova economia globale, del gruppo dei
vincenti facevano parte anche quelli che avevano la fortuna di essere dotati dei tipi di capacità e di formazione – del
«capitale di conoscenza», nel gergo dell'economia – idonei
a ricoprire i ruoli altamente qualificati che l'Occidente aveva in larga parte tenuto per sé. La redditività appena ripristinata delle aziende globalizzate trascinava verso l'alto le
quotazioni azionarie e gonfiava le entrate dei professionisti urbani che lavoravano negli uffici di queste aziende, o
che sovrintendevano ai loro processi di alto livello, come
la progettazione, l'ingegnerizzazione e la commercializza-
zione. Inoltre, con la riduzione dei costi dovuta al trasferimento della produzione in periferia, l'inflazione (l'incubo
degli anni Settanta) calava. Questo a sua volta significava
che i tassi di interesse potevano scendere, il che favoriva
l'acquisto di case e faceva salire i prezzi immobiliari. Tutto ciò generò un periodo di boom, soprattutto per lo strato superiore della classe media, equivalente, in termini
approssimativi, al 10 per cento superiore della società occidentale, ossia, all'inizio del XXI secolo, a quasi tutti quelli che guadagnavano più di settantamila dollari all'anno.[1]
Non si trattava soltanto del fatto che i loro guadagni medi
aumentavano. Dato che spesso possedevano case e ricevevano anche generosi versamenti pensionistici in fondi che
a loro volta fruivano del boom nei valori dei cespiti, specialmente azionari e immobiliari, il loro livello di vita complessivo migliorava in modo consistente. Questi guadagni,
però, erano ottenuti a spese dei lavoratori meno qualificati e non specializzati che vedevano il processo di creazione
della ricchezza, cui in precedenza avevano partecipato in
modo diretto, spostarsi all'estero, e si ritrovavano sempre
più costretti a competere per lavori nei servizi in un am-

biente economico che stava riducendo i loro guadagni reali. Questa tendenza si manifestava in tutto l'Occidente, ma era particolarmente acuta negli Stati Uniti a causa del loro stato sociale meno sviluppato. Nei quattro decenni successivi all'elezione di Ronald Reagan, i redditi reali della metà inferiore della società rimasero più o meno costanti, mentre quelli della metà superiore videro un incremento, con il 10 per cento più ricco che si avvantaggiò più di tutti, fruendo di un aumento del reddito di un terzo.[2]

Sebbene queste tendenze fossero sempre meglio visibili, il dibattito pubblico della fine del XX secolo trovava rassicurazione nell'idea che un «nuovo paradigma» di crescita senza fine con bassa inflazione avrebbe garantito che tutte le barche si sollevassero grazie a questa marea economica, anche se i governi di sinistra a volte circoscrivevano il proprio ottimismo. In Gran Bretagna, il governo Blair era abbastanza preoccupato da tentare di affrontare il problema dei quartieri popolari degradati, i cosiddetti *sink estates* – gruppi di popolazione sempre più estraniati, esclusi dalla recente prosperità degli anni Ottanta e Novanta –, e da dedicare una certa quota della spesa pubblica, in gran parte frutto di prestiti garantiti da presunti redditi futuri, a tutti i livelli d'istruzione in un tentativo di mettere una quota più ampia della popolazione nella condizione di accedere al segmento superiore dell'economia in rapida globalizzazione.

Alcune specifiche scelte politiche contribuivano anche a mascherare il significato più ampio di queste tendenze. Per tutti gli anni Ottanta e Novanta, sebbene i salari reali medi rimanessero quasi invariati in gran parte del mondo occidentale – negli Stati Uniti, per esempio, la paga oraria reale attualmente è all'incirca allo stesso livello in cui era alla metà degli anni Settanta –, l'inflazione in calo manteneva bassi i prezzi, oscurando in parte la perdita del potere d'acquisto. Questo fu anche il momento in cui la Cina cominciò a inondare i mercati occidentali di prodotti a basso prezzo (vedi p. 160). In questo contesto molti governi occidentali misero in atto politiche che facilitavano l'accesso al credito per i meno abbienti. In America il governo federale, utilizzando la propria influenza sui principali enti che erogavano mutui ipotecari,[3] abbassò le soglie di garanzia sui prestiti. Tali misure incoraggiarono un boom degli acquisti di case che divenne una di quelle profezie che si autoavverano. A mano a mano che sempre più persone compravano case, i prezzi aumentavano, persuadendo questi nuovi proprietari immobiliari di essere saliti anche loro sulla giostra globale, e contemporaneamente incoraggiando ancora più persone a comprare case.

Alla fine degli anni Novanta i mercati furono poi spinti a livelli stratosferici dagli effetti a cascata dell'austerità punitiva che il governo statunitense aveva imposto, come condizione per gli aiuti durante la crisi finanziaria del 1997-1998, a molti governi della periferia, in particolare a quelli del Sudest asiatico (la Thailandia e l'Indonesia, per esempio) che si trovavano nell'epicentro della crisi. Molti economisti attribuivano la colpa della crisi all'apertura neoliberista dei mercati dei capitali adottata – su sollecitazione dei governi occidentali – dai paesi in via di sviluppo, apertura che aveva reso possibile un rapido afflusso di capitale nella periferia, il quale aveva fatto schizzare alle stelle i valori immobiliari portandoli poi a crollare. Essi quindi non invocavano l'austerità, bensì una spesa più generosa per allontanare il collasso economico. L'amministrazione Clinton, però, non aveva dato loro ascolto, pretendendo che i governi destinatari degli aiuti tagliassero le spese e aprissero i loro mercati alle importazioni dall'Occidente.

Dall'austerità che ne era derivata, e che aveva spinto i paesi in via di sviluppo in devastanti recessioni, le economie occidentali avevano tratto un enorme beneficio. I ricchi investitori dei paesi periferici, in preda al panico per l'instabilità politica creatasi in patria, avevano parcheggiato il loro denaro su conti bancari in Occidente, da cui entrava puntualmente in circolazione. Al termine del millennio, perciò, gli investitori e i consumatori occidentali affogavano nel debito a buon mercato, che usavano per comprare azioni e case e per pagarsi le vacanze invernali. Politici e decisori, nel frattempo, potevano ancora affermare che tutto andava bene, dato che il valore degli investimenti in immobili, azioni e obbligazioni aumentava per chiunque più rapidamente dei suoi debiti, rendendo tutti più ricchi di giorno in giorno. In questo contesto più ampio non importava se i salari medi stagnavano. Tutti sembravano cavalcare un'onda neoliberista di credito a buon mercato che li portava verso una maggiore prosperità.

I rischi erano sempre evidenti per chi era disposto a vedere. L'intero edificio stava di fatto funzionando come un enorme schema Ponzi. Se, per una qualsiasi ragione, il flusso di nuovi fondi che continuava a spingere in alto i prezzi delle case e il mercato azionario avesse cominciato a esaurirsi – o, peggio, avesse cominciato a precipitare –, gli occidentali si sarebbero ritrovati con una montagna di debiti tra le mani, e senza un reddito sufficiente a ripagarli. O, per dirla con Warren Buffett, al calare della marea si sarebbe solo scoperto chi faceva il bagno senza costume.

Non ci volle molto tempo perché ciò accadesse. All'alba del nuovo millennio, una volta passato il peggio della crisi finanziaria asiatica del 1997-1998, i ricchi investitori dei paesi in via di sviluppo cominciarono a ritirare i loro fondi dai conti correnti in Occidente e a riportarli in patria. Per coincidenza, ma con un significato decisamente simbolico, questa inversione nella direzione del flusso globale di capitali si verificò proprio mentre i paesi in via di sviluppo stavano lanciando la loro controffensiva nei confronti dell'egemonia occidentale al vertice WTO di Seattle del 1999 (vedi p. 148). Il modello neoliberista cominciò a entrare in crisi, cosa che la Federal Reserve statunitense tentò di tamponare tagliando i tassi di interesse, riuscendo solo a far gonfiare ulteriormente una bolla immobiliare in Occidente. Quando alla fine quella bolla scoppiò nel 2007-2008 e i prezzi delle proprietà crollarono, sul mondo incombeva una depressione economica.

I governi occidentali si affrettarono a tappare i buchi nella diga, ma la soluzione scelta accrebbe ulteriormente i livelli correnti del debito e al tempo stesso accentuò notevolmente i nuovi divari sociali creati dalla globalizzazione.

Ancora una volta, le banche centrali, con alla testa la Federal Reserve, stamparono trilioni di nuovi dollari, euro e sterline, che prestarono alle rispettive banche a un tasso di interesse praticamente nullo: la speranza era che le banche, a loro volta, prestassero il denaro alle imprese e alla gente comune. Le imprese, secondo questa logica, avrebbero investito espandendosi e quindi avrebbero assunto lavoratori, rimettendo in moto l'economia, mentre le persone comuni avrebbero tratto vantaggio dai mutui ipotecari e dalle carte di credito a basso costo ricominciando a comprare e a spendere.

Se questa serie di scelte politiche riuscì effettivamente ad allontanare la depressione nell'immediato, purtroppo finì per mettere in evidenza le sempre più ampie divisioni sociali e politiche che erano rimaste in gran parte nascoste durante gli anni del credito facile. I mercati azionari tornarono in vita ruggendo, con l'indice Dow Jones di New York che salì del 18 per cento circa all'anno dopo il crollo del 2007. Ma i nuovi investimenti in attività produttive rimasero modesti. Buona parte del denaro fu usato dalle imprese, invece che per assumere nuovi lavoratori, per aumentare le retribuzioni dei dirigenti e per riacquistare le proprie azioni, gonfiando ulteriormente i valori azionari e con essi le gratifiche di fine anno dei dirigenti. Nel decennio successivo al crollo, in America gli investimenti in nuove risorse produttive, dalle macchine al software, aumentarono soltanto della metà circa, mentre i riacquisti di azioni quadruplicarono. I datori di lavoro ricominciarono sì ad assumere, ma gli andamenti consolidati della globalizzazione continuarono. I nuovi posti di lavoro tendevano a essere nel settore dei servizi e relativamente poco pagati. Nel complesso, i ricchi diventavano più ricchi e tutti gli altri se la cavavano a stento.

Nel dibattito politico il diffuso senso di divisione cominciò a esprimersi lungo diversi assi. «Vecchi contro giovani» fu quello che misero chiaramente in luce i risultati del referendum sulla Brexit in Gran Bretagna. Altre discussioni hanno contrapposto professionisti a lavoratori, e grandi città a cittadine e campagna, o hanno accusato «élite» «metropolitane» e «costiere» di voltare le spalle alla gente comune dell'interno. Si è fatto un gran parlare anche di nativi contro immigranti, i quali si supponeva togliessero posti di lavoro e facessero abbassare i salari. Alcune di queste linee di frattura non erano nuove – il discorso contro gli immigranti (non ignoto neppure nel mondo romano) è sempre stato ben presente –, ma un chiaro segno di come le attuali divisioni riflettessero un tipo di mutamento strutturale più profondo era visibile nell'emergere di nuovi schemi di adesione politica. A destra, in particolare, un nuovo genere di politici populisti prese a incanalare il malcontento crescente in una linea che pretendeva di essere anti-establishment e faceva appello ai «dimenticati» e ai «deplorevoli», coloro cioè che venivano ignorati o perfino derisi dai politici tradizionali. Simili strategie ribaltarono la consueta linea di divisione destra-sinistra, mentre i lavoratori abbandonavano i partiti socialisti e progressisti per abbracciare nuovi movimenti di destra, e svolsero un ruolo non secondario sia nel referendum sulla Brexit sia nell'ascesa di Donald Trump. L'estrema destra, inoltre, salì al potere in Austria e alterò profondamente il quadro politico in Germania, Francia, Italia e Spagna.

Alla base di tutte queste connotazioni divisive c'è la distinzione fondamentale tra quanti hanno beneficiato della ristrutturazione dell'economia mondiale secondo i nuovi schemi della globalizzazione, e quanti non ne hanno tratto vantaggio. Il gap generazionale si è ampliato, dato che i giovani, gravati del peso dei debiti contratti per studiare e in difficoltà per l'aumento dei costi delle abitazioni, guardano con invidia alla ricchezza che molti membri più anziani della società occidentale hanno costruito grazie alla proprietà immobiliare e ai loro fondi pensione. I valori di entrambi i tipi di cespite sono aumentati in modo vertiginoso nel corso degli ultimi quarant'anni. Chi avesse comprato una casa in Gran Bretagna all'inizio degli anni Sessanta avrebbe fruito, in media, di un aumento di valore di cento volte nel periodo trascorso. A Londra, il possesso anche solo di una piccola villetta a schiera consentirebbe di trarne quanto basta per una vita di relativo lusso. Un'analoga trasformazione ha riguardato i fondi pensione, che oggi detengono tra il 20 e il 30 per cento della ricchezza totale del mondo occidentale e che sono riusciti a incrementare i rendimenti per i loro membri avvantaggiandosi del denaro a buon mercato e spostando sempre più gli investimenti verso la periferia globale. Questo duplice mutamento rappresenta una novità di importanza potenzialmente colossale. Nel XIX e nel XX secolo l'aumento della ricchezza nelle società occidentali seguiva l'aumento del reddito. Con la crescita dei redditi della popolazione, ne veniva accantonata una quota maggiore in risparmi e investimenti. Ma nel corso dell'ultima generazione i due processi si sono disaccoppiati, con la ricchezza che cresce più rapidamente del reddito (nonostante i tassi di risparmio varino di poco, o perfino declinino), anche se i governi ancora tendono a trovare politicamente più comodo tassare il reddito piuttosto che la ricchezza.

La divisione tra professionisti e classe lavoratrice riflette analogamente la frattura essenziale tra quanti hanno avuto la fortuna – e quanti non l'hanno avuta – di entrare nel mercato del lavoro con le abilità necessarie per acquisire o mantenere le posizioni appetibili e ben retribuite che sono rimaste in Occidente quando la produzione si è trasferita altrove. In effetti, il tipo di istruzione – il «capitale di conoscenza» – che di solito è richiesto per ottenere uno di questi lavori allettanti spesso presuppone genitori sufficientemente benestanti da investire in modo massiccio nell'istruzione dei figli. Se si tiene conto del fatto che queste stesse famiglie benestanti sono probabilmente proprietarie di immobili e di cespiti pensionistici, si vede che le società occidentali sono destinate a essere caratterizzate da una crescente divisione tra i benestanti il cui reddito deriva principalmente o sostanzialmente dalla proprietà di tipi differenti di ricchezza e quanti si guadagnano da vivere con il lavoro. Naturalmente ciò significa in pratica che i tipi di opportunità di autopromozione e di mobilità sociale che hanno connotato le società occidentali per gran parte del XX secolo stanno rapidamente scomparendo.

Nel mondo romano, i proprietari terrieri delle province, di fronte alla crescente incapacità del centro di tutelare i loro privilegi, spesso si decidevano a negoziare con il più vicino re barbaro per mantenere le loro proprietà. L'equivalente élite moderna, quanti cioè beneficiano dei frutti della globalizzazione, in pratica ha spostato in modo analogo una quota significativa dei propri portafogli di attività nei centri di esternalizzazione della periferia. Possono ancora avere costose proprietà nei mercati immobiliari inflazionati dell'Occidente, ma molte delle loro risorse, controllate sia direttamente da loro sia indirettamente da fondi pensione, sono oggi investite nella periferia. Nel complesso, la ristrutturazione economica degli ultimi quarant'anni ha visto la formazione entro le società occidentali di due bacini politici con interessi economici profondamente diversi. Questo sviluppo non soltanto ha già generato una seria divisione all'interno di molte società occidentali, ma pone una profonda minaccia a più lungo termine all'intera struttura dello stato-nazione che si è evoluta nel XIX secolo e nel XX fino a diventare un elemento caratteristico della vita nell'Occidente moderno.

Le strutture operative dell'Impero romano venivano danneggiate in modo analogo dall'affermarsi delle confederazioni barbariche sul suolo occidentale. Via via che il centro imperiale perdeva il controllo delle province che ne costituivano la base fiscale, la sua capacità di mantenere forze armate efficaci ne risultava compromessa. Reagiva aumentando le aliquote fiscali per ciò che rimaneva della sua base, ma ciò non faceva che accrescere le potenziali attrattive di un cambiamento di fedeltà in direzione di una delle confederazioni barbariche, e non produceva affatto nuove entrate in misura lontanamente sufficiente a compensare la perdita fiscale complessiva. Alla fine, anche uno come Sidonio, che aveva desiderato disperatamente di rimanere entro un'orbita politica romana, si ritrovò senz'altra scelta che quella di riavvicinarsi al re visigoto Eurico, e questo fu il tipo di mossa che segnò la fine reale dell'impero nell'Occidente romano.

Oggi la globalizzazione sta generando per lo stato-nazione lo stesso tipo di crisi delle entrate che alla fine rese l'Occidente romano incapace di adempiere il suo contratto fiscale. Lo spostamento di capitali all'estero ha significato, in effetti, che i governi della periferia sono stati in grado di attirare una quota crescente del reddito globale, mentre i governi occidentali sono stati costretti a competere per gli investimenti ponendo un tetto alla spesa in modo da tenere bassa la tassazione. Inoltre, la liberalizzazione dei mercati finanziari che facilitava l'esternalizzazione rendeva anche più agevole per lo strato più elevato della società globale spostare il denaro nei paradisi fiscali offshore, con il risultato che circa un decimo della ricchezza globale – oltre sette trilioni di dollari – oggi si trova fuori della portata di qualunque governo.[4]

Quando gli effetti divisivi della globalizzazione divennero evidenti nelle società occidentali, verso la fine del XX secolo, il flusso delle entrate fiscali disponibili per mantenere i livelli di vita occidentali, quindi, era già limitato. Il tardo Impero romano reagì all'erosione della sua base fiscale innalzando le aliquote per quel che rimaneva. I leader dell'Occidente moderno, invece, hanno potuto ricorrere a una soluzione diversa, una delle invenzioni miracolose del mondo moderno: il debito. Nulla più che un modo abile di menare il can per l'aia.

Debito e malattia

L'idea di spendere oggi ma pagare in futuro, ossia il debito, è vecchia come il commercio. Nell'epoca moderna, però, l'avvento delle Banche centrali – quelle dell'Olanda, della Svezia e dell'Inghilterra videro la luce nel XVII secolo – rivoluzionò la politica degli stati: ora diventava possibile riscadenzare i pagamenti non soltanto nel futuro prossimo ma a molti decenni di distanza, mediante mutui trentennali e obbligazioni governative centennali. In effetti, la storia dello stato-nazione è inseparabile dall'ascesa del debito nazionale. E in mezzo ai rapidi mutamenti sociali e tecnologici del XX secolo, che modificavano profondamente la produttività del lavoro, prendere denaro a prestito dando come garanzia i futuri guadagni che sarebbero in definitiva derivati dall'investimento produttivo consentì alle economie di accelerare la propria crescita.

Ma non è sempre facile distinguere il prestito per investimenti produttivi dal prestito per coprire spese immediate. I governi spesso fanno investimenti per proteggere posti di lavoro o per fornire qualche altro tipo di beneficio subitaneo, come fu nel caso delle nazionalizzazioni in stile anni Settanta, o nei casi dell'ampliamento del welfare da parte di Tony Blair con spesa coperta da futuri aumenti delle entrate (che non si materializzarono) e dei piani di Boris Johnson – non abbandonati dai suoi successori – di «migliorare» aree neglette nel Nord della Gran Bretagna e nelle Midlands; piani che forse si ripagheranno o più probabilmente no. Anche progetti infrastrutturali apparentemente vecchio stile nell'Occidente moderno non sempre sono quello che sembrano. Nel 2020 Johnson annunciò quello che definiva un programma di investimenti «roosveltiano». Fatte le debite proporzioni, in realtà aveva dimensioni pari a circa un trentesimo del New Deal, il che indusse il «Financial Times» a osservare che, laddove Roosevelt aveva costruito la diga di Hoover, Johnson avrebbe riparato un ponte nelle Midlands.[5] Il paragone è altamente rivelatore. Costruire un nuovo ponte significa aprire nuovi canali commerciali, riducendo costi e tempi di viaggio, e quindi generando nuova attività economica. Riparare un ponte consente semplicemente di mantenere aperti canali esistenti, preservando il livello corrente di attività (ovviamente, dopo diversi anni in cui i tempi di spostamento sono più lunghi a causa dei lavori di riparazione).

Analogamente, quando gli Stati Uniti fecero l'esperimento di un consistente taglio fiscale nel 2017, il presidente Trump disse che avrebbe iniettato combustibile per razzi nell'economia. Non andò così. La crescita aumentò soltanto di uno 0,7 per cento nell'anno seguente, dopodiché ridiscese al suo tasso di fondo (prossimo al 2 per cento all'anno, e in diminuzione). Gli investimenti delle aziende a malapena si discostarono dai livelli precedenti, e il forte incremento dei posti di lavoro promesso non si materializzò, mentre la crescita della forza lavoro impiegata continuava sulla sua traiettoria precedente. Alla fine, gran parte del denaro che le imprese risparmiarono in tasse andò in dividendi e riacquisto di azioni proprie. Ciò fece salire le quotazioni delle azioni, arricchendo ulteriormente una piccola minoranza di americani già tra i più ricchi e senza fare molto per l'economia in senso più generale.

In realtà, viviamo in un mondo in cui i grandi proventi che possono essere ottenuti mediante la spesa in infrastrutture e altri tipi di stimolo governativo diretto si sono progressivamente allontanati dall'Occidente. Alcuni economisti continuano a insistere che questo stato di cose cambierà, che un'altra rivoluzione nella produttività paragonabile alle precedenti, come quelle connesse alla diffusione della forza motrice del vapore o dell'elettricità, verrà a ripristinare i tassi di crescita del passato (il candidato previsto per la futura rivoluzione di solito è la tecnologia dell'informazione). Ma è da molto tempo che aspettiamo. È famoso il detto di Robert Solow del lontano 1987, secondo cui potremmo vedere l'èra del computer dovunque eccetto che nelle statistiche della produttività, e così sembra che stiano ancora le cose.

Viceversa, nella maggior parte dei paesi occidentali la crescita della produttività – del valore monetario, cioè, di quanto un lavoratore produce in un'ora sul posto di lavoro – è ormai da molto tempo su una curva discendente. Dopo un forte incremento storico alla metà del XX secolo, quando il valore del prodotto orario aumentava di quasi il 3 per cento all'anno, il periodo dal 1970 in poi ha visto gli aumenti del prodotto orario ridiscendere verso i loro tassi consueti (che, per la maggior parte della storia, sono stati prossimi allo zero), e oggi tali tassi si stanno avvicinando all'1 per cento circa all'anno. Dove vediamo grandi aumenti nella produzione dei lavoratori, questi tendono a essere fortemente concentrati. I settori economici più dinamici e produttivi, quelli in cui i paesi occidentali continuano a godere di un certo margine di vantaggio, forniscono una domanda di lavoro caratterizzata da una biforcazione. Nelle industrie ad alta tecnologia, una percentuale relativamente ridotta della forza lavoro è altamente produttiva: i sessantamila dipendenti di Facebook hanno generato quasi novanta miliardi di dollari di entrate nel 2020, con una media di un milione e mezzo di dollari a testa. Ma sono poi coadiuvati da una manodopera più numerosa e meno specializzata fatta di addetti alla pulizia, balie e baristi. In altre parole, gli aumenti effettivi di produttività nelle odierne società occidentali riguardano i pochi e non i molti, e forse poco contribuiscono a rivoluzionare la produttività della massa della forza lavoro occidentale. Così, mentre in passato il debito era un modo per spendere oggi in modo da aumentare i guadagni di domani, nella maggior parte dei casi in Occidente ora è diventato un modo per avere le cose adesso e pagarle domani.

Dal momento che il vecchio meccanismo investire-per-espandersi si è guastato, i governi e le società occidentali hanno preso l'abitudine di usare il debito più per aumentare o mantenere gli attuali livelli di vita che per costruire prosperità futura. Via via che l'aumento della produttività rallentava, trascinando con sé verso il basso la crescita complessiva del reddito, famiglie e imprese si attenevano allo stile cui si erano abituate facendo altro debito. Per molto tempo i governi assicurarono loro che era una cosa che si poteva fare in sicurezza, con ripetute dichiarazioni secondo cui un'altra rivoluzione della produttività sarebbe venuta a cancellare i debiti, e con l'introduzione di misure, come le riduzioni del tasso di interesse e quelle degli ostacoli al credito, che rendevano ancora più facile prendere denaro a prestito.

Si tratta di qualcosa di decisamente nuovo. Sebbene il debito sia divenuto onnipresente nelle società occidentali, è facile dimenticare che l'umile carta di credito, quello strumento essenziale della vita moderna, non esisteva fino alla metà del XX secolo. Prima di allora il debito era generalmente limitato all'investimento, nella forma di imprese che costruivano impianti o di famiglie che compravano case, mentre i debiti dei governi che avevano spiccato il volo durante la guerra tornavano a ridursi dopo la sua conclusione. Nei decenni successivi alla Seconda guerra mondiale, per esempio, il rapporto tra totale del debito privato e pubblico e PIL negli Stati Uniti generalmente oscillava intorno al 100 per cento, una tendenza che trovava un parallelo nelle altre società occidentali. Ma il rapporto decollò realmente nell'èra della globalizzazione, quando il debito fu usato sia dai governi sia dagli individui per nascondere cali delle entrate e aggravamento delle disuguaglianze, o anche solo per non smentire le aspettative che la ricchezza sarebbe continuata a crescere.

Il risultato finale fu il livello stratosferico del debito che si era accumulato in Occidente verso la fine del secondo decennio del XXI secolo. Nel 2019 il taglio fiscale di Trump spinse il debito nazionale degli Stati Uniti sopra il 100 per cento del PIL. Se si aggiunge a questo il debito accumulato dai cittadini ordinari, il rapporto fondamentale debito-PIL era superiore al 300 per cento, tre volte il livello degli anni del boom postbellico. Quello della Gran Bretagna è analogo, quello dell'Italia è peggiore, mentre la *palme d'or* per l'imprudenza fiscale va al Giappone, il cui rapporto debito totale - PIL è ormai arrivato quasi a 5 a 1. Tale tendenza si diffonde in tutto il mondo occidentale. Anche paesi che si credono frugali, come la Danimarca e l'Olanda, hanno rapporti debito totale - PIL ben al di sopra del 300 per cento, mentre perfino il paese più economo, la Germania, non si discosta granché, arrivando molto oltre il 200 per cento.

Invece di una rivoluzione della produttività che venisse in soccorso e riportasse verso il basso questi rapporti di debito, però, quello che l'Occidente ha avuto è stata una dose imprevista di shock esogeno, sotto forma non di orde di unni, ma di un organismo microscopico. All'inizio del 2020, dalla Cina giunsero notizie che un nuovo ceppo di coronavirus era comparso nella città di Wuhan. Nell'arco di qualche settimana si stava diffondendo in tutto il globo. In generale la reazione iniziale dei governi occidentali fu di sottovalutazione. Ma al principio di marzo 2020, quando l'Organizzazione mondiale della sanità denunciò lo scoppio di una pandemia, il panico dilagò. I governi imposero il confinamento in casa e cominciarono a chiudere le frontiere ai viaggi internazionali. Agendo a velocità record, la maggior parte dei governi occidentali mise insieme alla meglio pacchetti di soccorso. Le Banche centrali ancora una volta aprirono i rubinetti, creando masse di nuovo denaro con cui poi comprarono obbligazioni sia statali sia aziendali, e quindi fornendo ai governi i fondi con cui tenere a galla aziende inattive. Nell'immediato la depressione economica fu allontanata, ma, una volta di più, le divisioni all'interno della società occidentale si aggravarono. Le banche centrali ridussero i tassi di interesse a zero, in qualche paese portandoli a valori negativi: vale a dire che chiunque prestava denaro al governo ora doveva pagare per questo privilegio. Ciò non soltanto incoraggiò le imprese a prendere a prestito enormi quantità di denaro per incrementare i loro mucchi di contante, ma incoraggiò anche gli investitori espulsi dai mercati obbligazionari dai rendimenti spaventosi a guardare altrove, rivolgendosi alle azioni, alle proprietà immobiliari e a nuove invenzioni come le criptovalute. Dopo bruschi crolli all'inizio dell'anno, i mercati azionari rimbalzarono cancellando le perdite entro l'estate. Ma nel complesso della società, nonostante i pacchetti di salvataggio, i salari reali ristagnavano e le piccole imprese fallivano.

Quasi nessuno di questi nuovi prestiti fu utilizzato per il genere di investimenti che promettevano una qualche reale speranza di nuova crescita economica. Così tanto denaro fu pompato nei mercati azionari su entrambe le sponde dell'Atlantico, e specialmente negli Stati Uniti, che anche compagnie «zombi» tecnicamente fallite videro i loro valori azionari salire alle stelle. Nell'arco di qualche mese, i governi occidentali aumentarono il loro carico di debiti anche del 25 per cento. Nel complesso, la gestione della pandemia li costrinse a incrementare di circa diciassette trilioni di dollari i loro debiti prima della fine dell'anno (aumentando il carico del debito pubblico nei paesi occidentali in generale del 10-20 per cento). La reazione dell'Occidente alla crisi provocata dalla pandemia di Covid-19 ha quindi portato in primo piano nel dibattito con rinnovata urgenza le questioni cruciali che già si nascondevano sotto la superficie della globalizzazione. Chi ripagherà i debiti contratti a livelli sbalorditivi dall'Occidente, e come? E dopo, quale sarà la configurazione della società occidentale?

Sarebbe difficile sopravvalutare la posta in gioco. La metà occidentale dell'Impero romano crollò e scomparve quando il centro si ritrovò senza i fondi sufficienti per mantenere il suo contratto fiscale e difendere gli interessi delle sue élite che pagavano e riscuotevano le tasse. La crisi delle entrate statali in corso nell'Occidente moderno ha radici diverse, ma non ci vuole una riflessione particolarmente profonda per rendersi conto di come ciò costituisca una minaccia a quella che è diventata la forma statale caratteristica dell'Occidente moderno, una minaccia che è potenzialmente altrettanto esistenziale quanto quella che minò alla base l'Occidente romano nel V secolo.

Il centro non può resistere?

Non è la prima volta che i governi occidentali si ritrovano pesantemente indebitati. Dopo la Seconda guerra mondiale i loro debiti accumulati raggiunsero livelli record. Oggi, alcuni analisti – in particolare quelli che appartengono alla scuola della moderna teoria monetaria[6] – sostengono che, ora come allora, questi debiti saranno ripagati in modo relativamente indolore mediante ulteriore crescita economica. Argomentano che cento dollari di debito investito alla fine ne genereranno parecchie centinaia in aumento della produzione, e che i debiti attuali dell'Occidente, proprio come quelli del periodo post-1945, saranno saldati nell'arco di qualche decennio.

Ci sono, però, alcune differenze cruciali tra il 1945 e oggi. In primo luogo, nel 1945 soltanto il 5 per cento circa della popolazione era in pensione, il grande boom della produttività doveva ancora arrivare, e i debiti erano contratti per finanziare la ricostruzione fondamentale, il che portava a un'immediata espansione economica. Sembra improbabile che i rendimenti degli investimenti nell'Occidente odierno possano anche solo avvicinarsi ai livelli del passato, non da ultimo perché buona parte del debito recente – compreso praticamente tutto quello che si è aggiunto durante la pandemia – è stato contratto solo per scongiurare il crollo delle economie. Questi debiti neppure miravano ad aumentare la produzione; fatti nella speranza di impedire a ciò che c'era di scomparire, è improbabile che si ripaghino.

In secondo luogo, le esigenze di spesa pubblica probabilmente non faranno che aumentare. Con l'invecchiamento della popolazione e la conseguente necessità di più assistenza sanitaria, più pensioni e servizi pubblici – settori che, in paesi come il Giappone, arrivano ad assorbire fino a un terzo della spesa pubblica totale –, i governi saranno alle prese con tensioni continue sui loro bilanci. Attualmente, nella maggior parte dei paesi occidentali tra il 15 e il 20 per cento della popolazione è in pensione, e tali percentuali continueranno ad aumentare, fino ad avvicinarsi, sulla base delle tendenze correnti, a valori compresi nella gamma 25-30 per cento. Quasi metà di quei pensionati continueranno ad avere età superiori ai settantacinque anni, il punto in cui la spesa sanitaria pro capite in generale comincia ad aumentare drasticamente. Per le tesorerie occidentali è giunto il momento in cui, tristemente, la diminuzione dell'aspettativa di vita sarebbe considerata una buona notizia, un punto emerso in drammatica evidenza quando nel 2022 il Tesoro del Regno Unito riferì di un piccolo inaspettato recupero derivato dal fatto che la pandemia aveva ridotto le aspettative di vita.

In terzo luogo, gli attuali tassi di interesse sul debito pubblico sono estremamente bassi. L'obbligazione decennale degli Stati Uniti, per esempio, che funge da riferimento per i tassi di interesse in tutta l'economia americana, arrivò quasi al 16 per cento nel 1980, per poi iniziare una lunga discesa quasi fino allo 0 per cento nel 2020, una tendenza, questa, riprodottasi nella maggior parte delle altre economie sviluppate. Ciononostante, nel febbraio 2022, lo stato britannico effettuò il massimo pagamento di interessi sul debito pubblico accumulato della sua storia. Quando nel 2022 i tassi di interesse hanno cominciato a risalire nelle società occidentali, i governi si sono trovati alle prese con un nuovo problema: che il peso del pagamento degli interessi avrebbe cominciato a intaccare maggiormente il loro potenziale di spesa. A questo possiamo aggiungere un elemento che quasi non esisteva in misura seria dopo la guerra: e cioè il peso del debito privato, che, come abbiamo visto, ha a sua volta spiccato il volo negli ultimi decenni.

Se i debiti non spariranno semplicemente e sono in realtà destinati ad aumentare, insieme ai pagamenti di interessi che si devono fare su di essi, che opzioni ci sono per i governi occidentali, per non parlare dei loro cittadini, che devono fare i conti con questo problema finanziario sempre più incalzante?

Le banche centrali potrebbero decidere di prolungare indefinitamente la «repressione finanziaria», mantenendo i tassi di interesse sotto il livello dell'inflazione per periodi prolungati. Questa era un'altra dimensione della miscela di politiche adottate dopo la Seconda guerra mondiale, quando i costi dei prestiti contratti dal governo venivano mantenuti sotto il tasso di inflazione, consentendo che il valore del debito fosse eroso nel tempo dall'inflazione stessa. Ciò andrebbe bene per i governi le cui entrate fiscali aumentano con l'inflazione mentre il debito non lo fa. Se, per esempio, le banche centrali occidentali mantenessero i tassi di interesse reali – la differenza tra tassi di interesse e tasso corrente di inflazione – al di sotto del 3 per cento (nel 2022 erano al doppio di tale percentuale), il valore del rendimento di un prestito fatto al governo in pratica si dimezzerebbe in circa venticinque anni. Se è vero che questo potrebbe sembrare un modo intelligente per rinviare il momento di affrontare il problema finché non finisce per scomparire, sarebbe però una pratica socialmente dirompente. In primo luogo per tutti quegli elettori pensionati, che si sono dimostrati un blocco politicamente di peso nelle società democratiche, non solo perché il loro numero è in aumento ma perché sono tra quanti è più probabile che si presentino ai seggi il giorno delle elezioni. Mentre i fondi pensione cavalcavano il boom dei valori delle attività del periodo neoliberista, con l'invecchiamento dei loro aderenti ora dovranno necessariamente acquistare sempre più titoli di stato, dato che questi forniscono il flusso costante di rendita che si aspetta chi riceve un pagamento mensile.[7] La repressione finanziaria quindi diminuirebbe nel tempo il valore di questi flussi di reddito. I politici potrebbero sperare che nessuno se ne accorga, ma qualcuno che andasse in pensione oggi e poi passasse il resto della propria vita dovendo progressivamente stringere la cinghia con ogni probabilità si renderebbe conto di quello che sta accadendo e verosimilmente voterebbe di conseguenza.

I governi potrebbero invece tentare la veneranda combinazione di taglio delle spese e/o aumento delle tasse. Ma a questa soluzione si oppongono due enormi ostacoli. Il primo è che i costi impliciti nell'attuale contratto fiscale in Occidente non potranno che spingere verso l'alto la spesa. Anche prima della pandemia, che rivelò quanto degradato fosse ormai il Servizio sanitario nazionale britannico dopo un decennio di austerità, c'era ampio accordo sul fatto che la spesa sanitaria richiedesse un aumento del 4 per cento all'anno solo per tenere il passo della domanda in aumento e dei costi addizionali delle crescenti possibilità tecnologiche. E questo non tiene conto dell'incremento della spesa per le pensioni; nel 2022 il primo ministro britannico ammise che una crescita dell'1 o del 2 per cento non sarebbe sufficiente per finanziare l'NHS nel lungo termine. Una cosa è chiedere ai cittadini di pagare tasse per migliori servizi, cosa che spesso sono ben disposti a fare. Altra cosa è chiedere loro di pagare tasse per coprire i costi di servizi già prestati – pagati in passato con il debito – specialmente se si tratta di servizi di cui potrebbero non beneficiare mai.

I governi occidentali attualmente ricavano la maggior parte delle loro entrate dalle tasse sul reddito e sui consumi. Le tasse sui consumi, come le tasse sulle vendite e l'IVA, fanno aumentare i prezzi, mentre le tasse sul reddito ricadono pesantemente sui ceti lavoratori. Allo stato attuale, con la popolazione anziana che aumenta di anno in anno, il lavoratore medio già divide il peso del mantenimento di un pensionato con un solo altro membro attivo della forza lavoro. Tra oggi e la metà del secolo tale rapporto si avvicinerà inesorabilmente al valore uno-a-uno. In altre parole, il carico fiscale sui più giovani, in età di lavoro, è già destinato ad aumentare, e gravarli dell'ulteriore peso dei debiti complessivamente derivanti dalla globalizzazione e dalla pandemia di coronavirus significherebbe imporre per giunta considerevoli aumenti. In Gran Bretagna, per esempio, i laureati che entrano a far parte della forza lavoro possono ora aspettarsi di perdere in tasse fino a metà del loro reddito mensile. Questo ci porta al secondo grosso problema che si oppone all'aumento delle tasse per ripagare il debito. Quando le tasse salgono ma i servizi pubblici non migliorano di conseguenza, il rischio è che il contratto fiscale finisca per essere percepito come infranto. Il caso di Roma mostra che cosa possa accadere in tale situazione.

La meno dannosa miscela di politiche per dare soluzione al problema del debito in Occidente sarà anch'essa tutt'altro che agevole. Con ogni probabilità consisterà in un costante controllo del tasso di interesse per quelle economie che possono permetterselo, combinato con vari cocktail di aumenti di tasse e tagli di servizi. Cercare di ignorare questi vincoli finanziari porterà a esiti economici disastrosi a causa di tassi di interesse in continua crescita, come ha messo in luce l'abortito «mini-budget» della Gran Bretagna dell'autunno 2022. Indovinare tale combinazione – in un contesto generale di popolazioni che invecchiano e bassa crescita – sarà particolarmente difficile. Un'eccessiva riduzione dei servizi innescherebbe un aumento dell'agitazione sociale e darebbe inizio allo svuotamento delle funzioni vitali dello stato. Verso la fine del XX secolo alcuni paesi in via di sviluppo si trovarono di fronte analoghi problemi di debito, e dovettero sia aumentare le tasse sia frenare la spesa in misura sostanziale, e spesso con scarsa simpatia da parte dell'Occidente; inoltre, nel periodo di austerità imposto dall'amministrazione Clinton in seguito alla crisi asiatica, sprofondarono nella crisi proprio mentre l'Occidente celebrava la sua massima prosperità. L'esperienza fatta in molti di questi paesi è indicativa dei potenziali problemi che attendono l'Occidente. In molti casi, buona parte della classe lavoratrice di fatto si sottrasse alla rete fiscale. All'estremità inferiore, i piccoli imprenditori conducevano tutti i loro affari in contanti, gli importatori corrompevano i funzionari doganali sottopagati, mentre gli ultraricchi nascondevano la loro ricchezza in conti bancari svizzeri, con il risultato di produrre una spirale viziosa discendente: entrate declinanti imponevano ulteriori riduzioni dei servizi pubblici.

Nei paesi colpiti più duramente, i pacchetti di austerità della fine del XX secolo infransero il contratto fiscale in essere, i cittadini in cima e in fondo alla scala sociale si ritirarono dalla struttura politica esistente, e il potere fu effettivamente redistribuito, finendo a volte in mani decisamente indesiderabili. Nelle comunità dei ghetti controllate dalle bande di spacciatori in Giamaica e in Brasile, nelle regioni del Messico in mano ai cartelli, nelle aree di confine del Pakistan o in buona parte dell'Afghanistan dove erano attivi i talebani, poterono stabilirsi stati negli stati. Questa potrebbe sembrare una situazione remota, ma abbiamo già cominciato a vedere le prime manifestazioni del genere comparire in Occidente: non solo nel fatto che in molte città alcune aree depresse sono virtualmente feudi delle bande, ma anche nella crescente incapacità dello stato di rispettare la propria parte del contratto. In Gran Bretagna, per esempio, i tagli dei fondi destinati alla polizia e ai sistemi giudiziari hanno portato a una situazione in cui a malapena uno stupro su cento alla fine viene punito: di fatto, una depenalizzazione occulta. Quando le persone sono costrette a pagare più tasse per saldare debiti del passato, ma i governi offrono meno in cambio, può benissimo arrivare un momento in cui i cittadini cominciano a chiedersi che cosa stanno ricevendo in cambio della loro fedeltà fiscale. E dato l'effetto sulle entrate degli stati sia dell'«etica fiscale» – la convinzione che si ottiene qualcosa in compenso delle tasse pagate, il che rende le persone disponibili a dichiarare i propri redditi e a pagare le relative tasse in modo onesto – sia della diminuzione dell'efficacia delle agenzie di riscossione, che sono a loro volta spesso oggetto di tagli da parte di governi taccagni, non è irragionevole pensare a un futuro in cui sempre più persone trovino modi per sfuggire alla rete fiscale – proprio come le élite provinciali della Roma del V secolo – preannunciando il collasso dell'intero sistema.

Un futuro simile – di progressiva frammentazione politica, di crescente instabilità, di declino della democrazia e del rispetto della legge e dei diritti umani, di erosione dei servizi pubblici e di livelli di vita in calo – forse attende l'Occidente. Ma non è un destino ineluttabile.

MORTE DELL'IMPERO?

Mentre la primavera volgeva in estate nel 468 d.C., Costantinopoli accorse ancora una volta in difesa dell'Occidente romano. L'imperatore d'Occidente del momento, Antemio, era un uomo nominato dall'Oriente, che era arrivato da Costantinopoli un anno prima con promesse di seria assistenza militare. L'imperatore d'Oriente, Leone I, era un uomo di parola. L'intervento assunse la forma di un'enorme flotta di millecento navi e di una forza di cinquantamila tra soldati e marinai, che era costata oltre centoventimila libbre d'oro. La destinazione della spedizione era il regno della confederazione vandalo-alana nel Nordafrica: il suo scopo principale era quello di eliminare una delle nuove confederazioni non intenzionalmente sospinte sul territorio romano dagli unni, e di riportare sotto il controllo imperiale le più ricche province dell'Occidente.

Un successo non solo avrebbe rinvigorito il centro romano d'Occidente incrementando i suoi flussi di entrate, ma avrebbe anche posto un freno, almeno temporaneo, a un altro fenomeno pericoloso: la tendenza dei proprietari terrieri delle province a trasferire progressivamente la propria fedeltà dal centro imperiale all'una o all'altra delle nuove confederazioni barbariche insediate in mezzo a loro. Anche prima del 468, Antemio aveva condotto una campagna d'immagine a nord delle Alpi nel tentativo di riguadagnare la fedeltà delle élite della Gallia che stavano entrando nell'orbita politica dei re visigoti e burgundi. Una vittoria in Nordafrica, con la prospettiva di un aumento delle entrate, e quindi di una maggiore potenza militare, avrebbe reso molto più facile per Antemio convincere le esitanti élite occidentali che mantenere la fedeltà a Roma era la scelta politica migliore per il futuro.

Purtroppo per Antemio la spedizione si risolse in un disastro. Venti contrari inchiodarono le sue navi contro una costa rocciosa, dopodiché i vandali riuscirono a lanciare una serie di attacchi devastanti usando imbarcazioni incendiarie, e fu tutto. Ma, anche se ormai era troppo tardi per rianimare l'Impero d'Occidente (che non esisteva più), una successiva spedizione di Costantinopoli riuscì a distruggere il regno dei vandali nel 532-533. Quindi l'impresa non era intrinsecamente impossibile, e, se il tentativo precedente avesse avuto miglior fortuna, ci sarebbe stata un'opportunità reale di allontanare l'Occidente dall'orlo del baratro. Non sarebbe stato l'Impero d'Occidente di una volta. Con la distruzione dei vandali-alani sarebbero pur sempre rimaste due potenti confederazioni barbariche insediate su parti significative della precedente base fiscale dell'impero, la Britannia era perduta, e i gruppi franchi stavano penetrando oltre il Reno. Ma visigoti e burgundi avrebbero dovuto accettare l'egemonia di un centro imperiale militarmente e politicamente forte entro la loro orbita, e le esitanti élite provinciali sarebbero tornate (più o meno volontariamente) alle loro fedeltà tradizionali. Il risultato finale sarebbe stato forse più una federazione sotto la guida imperiale romana che un impero vero e proprio, e la sua successiva condotta politica sarebbe stata senz'altro complessa. Nondimeno, ancora nel 468 c'era un'opportunità reale di infondere nuova vita in una forma riveduta dell'Impero romano d'Occidente.

Mentre questo libro si avvicina alla conclusione, l'Occidente moderno non è ancora all'ultima chance, come l'Occidente romano verso la fine degli anni Sessanta del V secolo. Le nazioni che formano il moderno Impero occidentale mantengono ancora il controllo di entrate copiose, anche se queste si sono molto ridotte in termini relativi rispetto all'apogeo segnato alla fine dello scorso millennio. Ciononostante, il nostro prolungato confronto con l'ascesa e la caduta dell'Impero romano mette a fuoco due punti con chiarezza cristallina. Primo, come l'antica Roma, il moderno Impero occidentale è alle prese con una crisi che esso stesso ha prodotto: è stato infatti il funzionamento delle sue strutture a stimolare (alla fine) l'ascesa di una diversa superpotenza in grado di competere alla pari, e di nuove potenze risolute in quella che era stata la periferia imperiale dell'Occidente. L'affermazione di queste nuove entità, analogamente a quanto accaduto nel mondo romano tra il IV e il V secolo, ha a sua volta generato una profonda divisione all'interno del sistema imperiale, dato che leader occidentali rivali litigano su quale sia il modo migliore per rispondere a questo nuovo ordine mondiale postimperiale, dove una prosperità senza precedenti per alcuni ha finito per poggiare sull'erosione dei livelli di vita per molti altri.

Se l'Occidente non è ancora in un momento cruciale equivalente agli anni precedenti il 470, si trova però in una situazione approssimativamente uguale a quella affrontata dai leader romani qualche decennio prima. Come Roma, è alle prese con problemi finanziari abbastanza gravi da minacciare l'intero contratto fiscale su cui si basa l'ordine sociale esistente; a differenza di Roma, l'Occidente moderno non avrà l'opzione di ricolonizzare alcune aree cerealicole straniere per rimpolpare la sua base di risorse. Un crollo delle entrate analogo a quello che si verificò in seguito alla perdita del Nordafrica non è ancora avvenuto, in parte anche perché uno strumento che non era disponibile per i sovrani di Roma, il debito, ha consentito sia ai governi sia ai cittadini di contrarre prestiti sulla base di entrate future, il che in realtà significa semplicemente che l'incombente crisi delle entrate è stata rinviata. Comunque, l'ascesa di una superpotenza – la Cina – in grado di competere alla pari è un dato di fatto permanente, così come l'emergere di una serie di potenti nuove entità nella vecchia periferia imperiale. Se il totale collasso imperiale rimase più o meno reversibile per l'antica Roma anche in una fase avanzata, l'attuale traiettoria verso il collasso potenziale, quindi, è certamente reversibile per l'Occidente moderno, purché accetti il fatto che non può (e non dovrebbe) tentare di ripristinare il vecchio ordine coloniale mondiale.

Reagire in modo positivo al superamento di quel vecchio ordine in modo da ottenere il miglior esito disponibile richiederà, però, una serie di ulteriori, difficili aggiustamenti. All'interno, dovrà esserci un dibattito molto più onesto sul ruolo dell'immigrazione in un contesto caratterizzato da un generale invecchiamento della popolazione, da una natalità che non mostra segni di ripresa e, quindi, da tassi crescenti di dipendenza sociale. All'esterno, sarà necessario trattare con maggiore simpatia ed equanimità quelle potenze emergenti che condividono importanti eredità culturali e istituzionali con le vecchie potenze occidentali, se vogliamo che ci sia una qualche possibilità reale di costruire una nuova coalizione che sia abbastanza forte da confrontarsi con la Cina in termini propriamente paritari. Questi non sono messaggi facili da far digerire agli elettorati occidentali come quello che «gli immigrati rubano i nostri posti di lavoro» o come la pretesa chiaramente fittizia che agire da soli – «prima» l'America, o la Gran Bretagna, o la Polonia – consentirà a una qualsiasi singola nazione occidentale di ottenere migliori condizioni commerciali dalla Cina, o magari dall'India, rispetto ad agire come blocco.

Se una nuova generazione di leader occidentali e i loro elettorati sapranno essere all'altezza di queste sfide e portare a termine gli attuali tentativi di liberarsi dalle eredità coloniali, cogliendo al tempo stesso le opportunità per costruire le più ampie e inclusive alleanze internazionali che le recenti reazioni all'invasione russa dell'Ucraina hanno dimostrato possibili (vedi p. 170), la fine inevitabile del vecchio Impero occidentale potrà ancora generare una serie estremamente positiva di risultati: e non solo in Occidente. Riadattate a un'èra compiutamente postcoloniale, le istituzioni fondamentali dello stato-nazione occidentale socialmente integrato – uno stato di diritto che cerchi di proteggere gli interessi di tutti, delle leadership politiche opportunamente tenute a rispondere del loro operato, una libera stampa e istituzioni pubbliche efficienti e imparziali – offrono una migliore qualità della vita a un numero molto più ampio di cittadini rispetto a qualunque altra forma di stato concorrente. Le istituzioni, però, non esistono nel vuoto e non possono essere conservate in maniera artificiale. Anche se il loro valore viene generalmente riconosciuto, esse poggiano ugualmente su equilibri di potere economico e politico. Se si reagisce in modo sbagliato al debito, e se si rinuncia a un'evoluzione del contratto fiscale che includa un numero sufficiente di persone, l'Occidente potrebbe in breve trovarsi alle prese con la morte della nazione, e con la sua sostituzione con strutture politiche alternative, molto meno inclusive.

Nel passato, quando la stabilità politica interna era minacciata, i governi nelle società occidentali riuscivano ad allentare la pressione esternalizzando lo sfruttamento nella periferia. Oggi tale opzione è venuta meno, e i governi possono sfruttare soltanto i loro concittadini. Pertanto, se i paesi occidentali devono ridurre le loro tensioni interne, sembra inevitabile che i più abbienti, in particolare quel 10 per cento superiore che ha tratto i maggiori vantaggi dalla globalizzazione negli ultimi decenni, debbano contribuire con maggiori risorse alla costruzione di un nuovo tipo di modello sociopolitico funzionante, in assenza ormai di grandi flussi di ricchezza dall'esterno.

La pandemia di Covid-19 – che ha richiesto a tutti di fare sacrifici per il bene della minoranza più vulnerabile della società, producendo un maggiore riconoscimento dei contributi sociali ed economici complessivi dei meno pagati lavoratori «essenziali» – ha messo in moto una vivace discussione sui tipi di scelte politiche cui si potrebbe ricorrere per contribuire a ricostituire la coesione sociale in Occidente. Perché una qualsiasi di queste scelte funzioni, però, le società occidentali dovranno fare ben di più che scendere in strada e applaudire. Degli elementi possibili di un nuovo contratto fiscale fanno parte cancellazioni del debito (specialmente quello degli studenti), un reddito universale di base che garantisca a tutti un tenore di vita minimo più dignitoso, politiche per incrementare la costruzione di case in modo da ampliare l'accesso ad abitazioni adeguatamente convenienti e forse una svolta in direzione di una maggiore tassazione della ricchezza rispetto al reddito.

Anche in questo caso non sarebbe facile, non foss'altro perché i ricchi hanno molta influenza all'interno del sistema politico. Ma le tasse sulla ricchezza, oltre a incidere su quanti sono più in grado di pagare, possono pure contribuire a rivitalizzare l'economia: premiando chi investe per creare nuovo reddito e penalizzando chi cerca soltanto di accumulare altra ricchezza – speculando sui terreni o acquistando superyacht –, le tasse sulla ricchezza possono indirizzare il denaro verso usi più produttivi. Simili novità probabilmente devono essere accompagnate, almeno in alcuni paesi, da misure volte a ridurre il lavoro precario rafforzando legislazioni sul lavoro permissive, del tipo di quelle che nel 2022 hanno consentito a un operatore dei traghetti britannico di sostituire la propria manodopera con dipendenti più a buon mercato pagando semplicemente la massima ammenda che poteva essere comminata per il licenziamento illegale da un giorno all'altro, salvo poi contabilizzarla come spesa d'esercizio. Accanto a posti di lavoro meno precari, a salari minimi decenti, all'istruzione gratuita e a generosi programmi di riqualificazione professionale per offrire ai disoccupati redditi dignitosi mentre si riconvertono per un mercato del lavoro in mutamento, questo non soltanto produrrebbe maggiore coesione sociale ma verosimilmente anche aziende più produttive (un modello non dissimile da quello esistente in Scandinavia).

Un riequilibrio del contratto fiscale per ridurre le attuali tendenze verso la divisione sociale richiederebbe inoltre più, e non meno, cooperazione internazionale. Un eccellente punto da cui iniziare sarebbero trattati fiscali internazionali per porre un freno all'elusione nei paradisi offshore, che oggi si stima diano rifugio a oltre sette trilioni di dollari di ricchezza degli oligarchi, e per limitare l'«arbitraggio fiscale» mediante il quale aziende internazionali e singoli individui ricchi creano elaborate strutture o vanno in cerca di paesi a bassa tassazione in cui mettere al riparo la loro ricchezza e il loro reddito, rendendo difficile per i loro paesi trovarli e tassarli. In questo senso qualcosa si sta già muovendo. Si è stimato che la dichiarazione internazionale del 2021 dell'OCSE su una tassa minima globale, in base alla quale centotrenta paesi convengono di fissare aliquote fiscali per le aziende non inferiori al 15 per cento, potrebbe da sola fornire ai governi del mondo centocinquanta miliardi di dollari di entrate aggiuntive ogni anno.

I trattati internazionali sulla riduzione dei gas serra e un Green New Deal (Nuovo Patto Verde) potrebbero anche impedire una corsa al ribasso sulle emissioni di carbonio, assicurando inoltre alle generazioni più giovani un futuro vivibile. Tali accordi potrebbero essere combinati con un regime globale di *carbon tax* (ecotassa sulle emissioni), specialmente se accoppiato con un sistema di dividendi che distribuisse i proventi di tale *carbon tax* alla popolazione nel suo insieme. Potrebbe così ottenere maggior consenso tra quelli che spesso si sono sentiti i perdenti delle politiche ambientali: i lavoratori. Imponendo costi a coloro che inquinano di più – i ricchi –, e distribuendo i dividendi in modo equo, un simile sistema darebbe un'appropriata compensazione a quanti si trovano all'estremità inferiore della scala globale del reddito. Infine, i paesi occidentali dovranno di certo riformare i loro sistemi pensionistici per ripristinarne la sostenibilità a lungo termine – ritardando l'età pensionabile, per esempio, come alternativa alla riduzione degli assegni pagati – dato che, quando erano stati creati, nessuno prevedeva un'epoca in cui le persone potessero passare tanti anni in pensione quanti ne avevano trascorsi lavorando.

Nessuna di queste scelte necessarie sarà semplice da compiere. Ma qualunque cosa accada, l'Occidente di certo non potrà mai tornare a essere ciò che era nel XIX e nel XX secolo. Le strutture fondamentali dell'economia mondiale sono mutate in un modo troppo profondo perché ciò possa mai verificarsi, e alcuni dei suoi leader devono smettere di fin-

gere che le cose possano stare altrimenti. E, se dev'esserci un minimo di onestà in merito al livello di violenza e di
sfruttamento su cui quell'Impero occidentale moderno è
stato originariamente costruito, nessuno dovrebbe piange-
re la sua fine. I cittadini della periferia in ascesa sarebbero
molto più propensi ad accettare un nuovo ordine mondiale se il loro progresso materiale non fosse più visto come
una minaccia, ma fosse salutato con favore e incoraggiato.
Gli elementi più vergognosi del passato coloniale avrebbero allora meno probabilità di oscurare l'idea che la società
occidentale abbia alla fine trovato, attraverso un conflitto
interno, la via a un modello consensuale di organizzazione sociopolitica che offra di più, e a un numero maggiore
di suoi cittadini, rispetto a qualunque sistema rivale: non
solo in termini di prosperità economica, ma anche di libertà individuali e di diritti politici e giuridici che sono facilmente dati per scontati, ma che sono stati così rari durante gran parte della storia umana.

Se i cittadini dei paesi occidentali saranno capaci di coglie-
re le sfide essenziali che li attendono, risolvendo in modo
democratico questioni inevitabilmente controverse, così da
dare alla cittadinanza più estesa un senso di inclusione ed
equità, e soprattutto se saranno capaci di farlo in modi che
consentano ai cittadini della periferia in ascesa di credere
che anche a loro sia offerta una partecipazione a un futuro
più giusto entro un sistema più ampio basato sugli stessi
valori condivisi, i vantaggi saranno potenzialmente colossali. La forma dello stato-nazione occidentale – in origine
costruita su flussi di ricchezza estratti dal resto del pianeta – non soltanto sarebbe riuscita a superare un momento
di crisi potenzialmente esistenziale, ma avrebbe generato
un'eredità postcoloniale di reale grandezza, di cui i suoi cittadini potrebbero essere genuinamente fieri.

NOTE

Introduzione

[1] Proprio ai margini di questa parte dello spettro politico ci sono stati tentativi di identificare una «cospirazione segreta» per sostituire le popolazioni dell'Occidente con immigrati provenienti dalla periferia. La teoria della sostituzione etnica, come si autodefinisce, ha origini che risalgono a un romanzo distopico del 1973 (Jean Raspail, *Il campo dei santi*), ma con più di un riferimento al discorso di Enoch Powell in *Rivers of Blood* (Fiumi di sangue), del 1968. Si è in parte diffusa muovendo da alcune frange politiche decisamente torbide (avendo motivato alcuni attacchi terroristici) in ambienti un po' più tradizionali, essendo ricomparsa nei discorsi dell'ungherese Viktor Orbán e dell'italiano Matteo Salvini, oltre ad attraversare il movimento dei *gilets jaunes* («gilet gialli») in Francia.

I. *Fare festa come se fosse il 399...*

[1] Flavio Stilicone era nato in territorio romano, ma suo padre era un immigrato vandalo. Quando se ne offrì l'occasione, nove anni più tardi, i suoi rivali attuarono un sanguinoso colpo di stato in cui Stilicone fu sommariamente giustiziato insieme ai suoi figli.

[2] Per un certo tipo di intellettuali moderni, che amano citare la storia di Roma a sostegno della loro idea che i regimi liberali producono economie più dinamiche, lo scomodo fatto che si contrappone alla tesi di Acemoğlu e Robinson è che l'Impero romano prosperò *dopo* l'abbandono del regime repubblicano.

II. *Impero e arricchimento*

[1] Anche oggi il grosso della produzione dell'economia statunitense viene consumato nel paese, mentre la metà del commercio estero ha luogo con Canada e Messico; risalendo nel tempo, gli andamenti nei periodi di dominio britannico, francese o olandese non erano poi così diversi.

[2] A quest'epoca Costantinopoli era la principale destinazione di analoghe esportazioni dall'Egitto e dalle nuove province orientali di Roma.

[3] Storie analoghe si potrebbero raccontare a proposito di molti appartenenti all'élite della metà orientale dell'impero. La loro formazione si svolgeva in greco, ma trasmetteva esattamente gli stessi messaggi ideologici, e analogamente li preparava, nel IV secolo, a fare carriera nelle strutture dell'impero.

III. *A est del Reno, a nord del Danubio*

[1] L'America Latina occupava una posizione anomala nel sistema imperiale occidentale. Alcune delle originarie colonie spagnole e portoghesi videro a loro volta un insediamento europeo su vasta scala, ma, anche dopo aver ottenuto l'indipendenza all'inizio del XIX secolo, a differenza dei *dominions* bianchi, non assursero mai al rango di province a pieno titolo nel sistema imperiale occidentale in via di sviluppo. Come la Spagna e il Portogallo stessi, queste colonie erano dominate dalla ricchezza generata dall'agricoltura di una classe di proprietari terrieri d'élite. A guidare i movimenti indipendentisti furono questi proprietari terrieri locali, che in seguito mostrarono scarso interesse nel rovesciamento del modello economico che aveva determinato la loro supremazia. Di conseguenza, le élite latino-americane rimasero estranee alla cultura emergente del capitalismo occidentale, con la sua crescente propensione per i mercati, la libertà individuale e la democrazia, e i territori da esse dominati nel migliore dei casi si mossero entro la periferia interna del sistema imperiale emergente.

IV. *Il potere del denaro*

[1] *$22,020,700,446 Gold Held by Treasury; About 80% of Monetary Stock of World in This Country*, in «New York Times», 7 gennaio 1941 (www.nytimes.com/1941/01/07/archives/22020700446-gold-held-by-treasury-about-80-of-monetary-stock-of.html).

[2] Diversi paesi latino-americani e qualche stato indipendente della periferia, come l'Iraq e la Cina, avevano partecipato alla conferenza, ma la loro influenza sull'accordo finale era risultata limitata.

[3] La sterlina era la principale valuta di riserva al mondo nel 1945, ma nel corso dei decenni immediatamente successivi fu stabilmente sostituita dal dollaro statunitense, e oggi circa tre quinti delle riserve mondiali per il commercio estero sono depositati nelle banche statunitensi (Barry Eichengreen, Livia Chiţu e Arnaud Mehl, *Stability or Upheaval? The Currency Composition of International Reserves in the Long Run*, European Central Bank Working Paper Series #1715, agosto 2014, www.ecb.europa.eu/pub/pdf/scpwps/ecbwp1715.pdf).

[4] Il Tesoro non produceva effettivamente denaro fisico. In realtà bastava dare istruzione alle banche di concedere credito sul conto ai clienti, usando quantitativi di dollari che in teoria potevano essere cambiati in oro.

[5] Il documento della CIA del 1974 che valutava il sostegno sovietico ad Allende è sconvolgente nella sua franchezza, essendo intitolato semplicemente *The Soviets Abandon Allende* (www.cia.gov/library/readingroom/docs/DOC_0000307740.pdf).

V. Le cose cadono in pezzi

[1] I barbari europei posero sì fine al breve regno dell'imperatore Decio sconfiggendolo e uccidendolo, ma Decio disponeva soltanto delle risorse di una piccola parte dell'impero, e la sua sconfitta non ebbe le dimensioni di quelle ripetutamente inflitte dai persiani.

[2] L'altra possibilità fondamentale è che l'arrivo degli unni sia stato causato da una rivoluzione politica in corso nel mondo della steppa, in direzione di imperi più vasti; le due linee di spiegazione non sono mutuamente esclusive.

[3] Le cosiddette «guerre marcomanniche» del II secolo, che alla fine portarono alle vittorie celebrate da Marco Aurelio sulla sua colonna, avevano origini analoghe.

[4] È uno schema ricorrente nel periodo medievale – seguito anche dagli àvari nel VI secolo e dai magiari nel IX – quello per cui i nomadi invasori prima occupavano il territorio a nord del Mar Nero, e poi compievano un ulteriore spostamento secondario verso ovest fino alla Grande pianura ungherese.

[5] I suoi effetti sono visibili nella *Notitia dignitatum*, un inventario militare dell'esercito d'Oriente datato 395, da cui emerge che sedici unità di fanteria pesante sono «mancanti»; vale a dire che non erano state ricostituite nei due decenni intercorsi.

[6] Le prove archeologiche fanno pensare che le conseguenti lacune sulla frontiera fossero colmate reclutando ausiliari barbari da oltre confine.

[7] I burgundi erano stati insediati nel territorio romano alla fine degli anni Trenta, dopo essere stati sconfitti dagli unni; chiaramente non erano potenti come la confederazione visigotica.

[8] Siagrio e Leone di Narbona erano, rispettivamente, consiglieri del re burgundo e di quello visigoto; un prefetto del pretorio delle Gallie di nome Arvando e un viceprefetto («vicario») di nome Seronato furono condannati per tradimento per aver incoraggiato i re vicini ad aumentare l'area della Gallia sotto il loro controllo.

VI. Invasioni barbariche

[1] In termini di DNA, qualunque persona di origine europea è il prodotto di una mescolanza (sia pure con proporzioni leggermente differenti in luoghi diversi) di tre distinti gruppi di popolazione del lontano passato: i cacciatori-raccoglitori che per primi ripopolarono il continente dopo l'ultima èra glaciale; un'ondata migratoria di agricoltori nordorientali che si diffusero in tutto il territorio a cominciare dal 4000 a.C. circa; e un'ulteriore ondata di popolazione proveniente dalla steppa eurasiatica che arrivò un migliaio di anni più tardi.

VIII. Morte della nazione?

[1] Spesso persone che si considerano membri della classe media o anche della classe lavoratrice (come capita ad alcuni professionisti che sono iscritti ai sindacati) si sorprendono nell'apprendere di far parte dell'1 per cento più ricco della popolazione del pianeta, dato che la maggior parte delle persone che conoscono sono come loro. Ma questo mette in luce le nostre distorsio-

ni cognitive (consce o inconsce) nel modo in cui socializziamo, ossia quello che è noto come miscelazione assortiva (*assortative mixing*). In passato i matrimoni interclassisti mitigavano questo effetto, ma gli ultimi decenni hanno visto un incremento della miscelazione assortiva tra i più benestanti, il che sembra distanziare ulteriormente il decile superiore dal resto della società.

[2] https://ourworldindata.org/grapher/disposable-household-income-by-income-decile-absolute?time=1979.latest&coun-try=~USA.

[3] La Federal National Mortgage Association e la Federal Home Loan Mortgage Corporation, note a livello colloquiale come Fannie Mae e Freddie Mac rispettivamente.

[4] www.project-syndicate.org/commentary/ western-sanctions-russia-oligarch-dark-money-by-daron-acemoglu-2022-03.

[5] George Parker e Chris Giles, *Johnson seeks to channel* FDR *in push for* UK *revival*, 29 giugno 2020 (www.ft.com/content/f708ac9b-7efe-4b54-a119-ca898ad71bfa).

[6] Va detto che alcuni economisti si chiedono che cosa ci sia di così moderno in essa, dato che, secondo loro, è molto simile alla vecchia teoria keynesiana, e con radici ancora più profonde nelle teorie «cartaliste» del denaro sorte nella Germania dell'inizio del XX secolo.

[7] Via via che gli iscritti di un fondo pensione si avvicinano all'età del pensionamento, i gestori del fondo devono collocare una quota crescente del loro portafoglio in investimenti sicuri come i titoli di stato: non possono correre il rischio di investire in un'iniziativa imprenditoriale potenzialmente redditizia se c'è il pericolo che l'investimento possa non andare a buon fine, cosa che può essere riassorbita da un gestore di fondi che investa a lungo termine, ma non è un'opzione quando i clienti si aspettano un pagamento regolare ogni mese.

BIBLIOGRAFIA

Introduzione

Il capolavoro di Edward Gibbon è disponibile nella traduzione italiana di Giuseppe Frizzi, *Storia della decadenza e caduta dell'Impero romano*, 3 voll., Torino, Einaudi, 1967. Le idee di Peter Heather sul I millennio sono esposte per esteso, con il relativo apparato accademico, in *L'impero e i barbari. Le grandi migrazioni e la nascita dell'Europa*, trad. it. di Serena Lauzi, Milano, Garzanti, 2010. John Rapley ha esposto le sue idee sulla globalizzazione contemporanea e i cicli profondi dell'ascesa e caduta dei regimi in *Globalization and Inequality. Neoliberalism's Downward Spiral*, Boulder (CO), Lynne Rienner, 2004, iniziando poi con Peter Heather un discorso comune sui paralleli tra antico e moderno.

I. *Fare festa come se fosse il 399...*

Tutte le poesie di Claudiano si possono leggere nella traduzione inglese (con testo a fronte latino) di Maurice Platnauer, *The Works of Claudian*, London, Loeb, 1922; in italiano esiste una rara edizione del 1716, *Opere di Claudio Claudiano. Tradotte e arricchite di erudite annotazioni da Niccola Beregani...*, Venezia, G. Gabbriello Ertz, 1716; la corte presso la quale lavorava è brillantemente evocata da Alan Cameron, *Claudian. Poetry and Propaganda at the Court of Honorius*, Oxford, Clarendon Press, 1970. Un resoconto classico della vecchia ortodossia in fatto di collasso economico della tarda epoca romana è Mihail Ivanovič Rostovcev, *Storia economica e sociale dell'Impero romano*, trad. it. di Giovanni Sanna, Firenze, La Nuova Italia, 1953.

L'archeologo della Siria tardo-romana è Georges Tchalenko, *Villages antiques de la Syrie du Nord*, Paris, Geuthner, 1953-1958;

Bryan Ward Perkins, *La caduta di Roma e la fine della civiltà*, trad. it. di Mario Carpitella, Roma-Bari, Laterza, 2008, riassume in modo eloquente le prove della successiva prosperità economica tardo-romana. Le numerose opere di Peter Brown – ma vedi in particolare *La formazione dell'Europa cristiana. Universalismo e diversità, 200-1000 d.C.*, trad. it. di Michele Sampaolo, Roma-Bari, Laterza, 1995 – offrono una brillante via d'accesso alla fioritura culturale del tardo impero e oltre. Il rapporto dell'ex funzionario britannico sulle sue strutture di governo si può trovare in A.H.M. Jones, *Il tardo Impero romano. 284-602 d.C.*, 3 voll., trad. it. di Eligio Petretti, Milano, il Saggiatore, 1973-1981.

I paralleli con Roma hanno una lunga tradizione tra gli storici moderni, e alcuni dei classici ancora popolari tra il pubblico più vasto sono, nel bene e nel male, Arnold Toynbee, *Panorami della storia*, trad. it. di Glauco Cambon, Milano, Mondadori, 1955, e Oswald Spengler, *Il tramonto dell'Occidente*, trad. it. di Julius Evola, Milano, Longanesi, 1957. I commentatori contemporanei, soprattutto americani ed europei politicamente di destra, sono stati particolarmente attratti dall'idea di crollo della civiltà e di assalto della barbarie, anche se molta di questa pubblicistica è sensazionalistica o scarsamente documentata. Ma un saggio fondamentale che – di nuovo, nel bene o nel male – ha influenzato il pensiero in materia di politica estera in tempi recenti è Robert Kaplan, *The Coming Anarchy*, che era nato in origine come articolo sull'«Atlantic» ed è stato in seguito trasformato in un libro con lo stesso titolo (New York, Random House, 2000).

I dati sull'economia mondiale contemporanea provengono dai *World Development Indicators* della Banca mondiale, che costituiscono uno dei più autorevoli e accessibili database disponibili. La fonte canonica per le stime del prodotto interno lordo e del reddito pro capite nel corso della storia è il database compilato da Angus Maddison e che ora è consultabile in www.rug.nl/ggdc/historicaldevelopment/maddison/releases/maddison-project-database-2020?lang=en.

II. *Impero e arricchimento*

La *Mosella* di Ausonio è tradotta in italiano (con testo latino a fronte) a cura di Luca Canali, Milano, Mondadori, 2011, mentre la versione inglese di H.G. Evelyn White, *The Works of Ausonius*, vol. II, London, Loeb Library, 1961, le fa opportunamente seguire la pungente risposta di Simmaco. L'evoluzione culturale più ampia che produsse entrambi è evocata in modo brillante dalla combinazione di Greg Woolf, *Becoming Roman. The Origins of Provincial Civilization in Gaul*, Cambridge, Cambridge University Press, 1988, e Robert A. Kaster, *Guardians of Language. The Grammarian and Society in Late Antiquity*, Berkeley, University of California Press, 1988. Lo studio migliore del mondo di corte in cui entrambi operarono è John F. Matthews, *Western Aristocracies and Imperial Court AD 364-425*, Oxford, Clarendon Press, 1975. Gli stimolanti risultati prodotti dalle indagini archeologiche della fine del XX secolo sono riassunti, tra gli altri, da Tamara Lewitt, *Agricultural Production in the Roman Economy AD 200-400*, Oxford, Tempus Reparatum, 1975, con ulteriori riflessioni in Chris Wickham, *Le società dell'alto Medioevo. Europa e Mediterraneo secoli V-VIII*, trad. it. a cura di Alessio Fiore e Luigi Provero, Roma, Viella, 2009. Il commentatore del IV secolo che insiste sull'irrilevanza politica di Roma è Temistio, nella sua quarta orazione (per l'imperatore d'Oriente Costanzo II), che si può leggere in traduzione italiana (con testo greco a fronte) in *I discorsi*, trad. it. a cura di Riccardo Maisano, Torino, UTET, 1995, oppure in inglese in Peter J. Heather e David Moncur (a cura di), *Politics, Philosophy, and Empire in the Fourth Century. Selected Orations of Themistius*, Liverpool, Translated Texts for Historians, 2001.

Le origini del capitalismo moderno sono tuttora argomento di notevole dibattito, per non parlare della generale curiosità che suscita l'apparente enigma di tali origini (per come le conosciamo) in Europa. In *Armi, acciaio e malattie. Breve storia del mondo negli ultimi tredicimila anni*, trad. it. di Luigi Civalleri, Torino, Einaudi, 1998, Jared Diamond fornisce un'argomentazione assai discussa che attribuisce le origini e l'espansione del capitalismo a fattori ambientali. A quelli ambientali Eric Jones aggiunge fattori politici in *Il miracolo europeo. Ambiente, economia e geopolitica nella storia europea e asiatica*, trad. it. di Giovanni Vigo, Bologna, il Mulino, 1984, un libro che può essere proficuamente letto in tandem con la discussione di Justin Yifu Lin delle ragioni per cui il capitalismo *non* ebbe origine nella Cina imperiale che si trova in *The Needham Puzzle. Why the Industrial Revolution Did Not Originate in China*, in «Economic Development and Cultural Change», XLIII, 2 (gennaio 1995), pp. 269-292. Justin Yifu Lin propone l'interessante tesi che il sistema cinese degli esami per i funzionari statali incoraggiasse i giovani ambiziosi a preferire la burocrazia all'industria. Ma forse la sintesi più autorevole delle origini istituzionali del capitalismo rimane tuttora Daron Acemoğlu e James Robinson, *Perché le nazioni falliscono. Alle origini di potenza, prosperità e povertà*, trad. it. di Marco Allegra e Matteo Vegetti, Milano, il Saggiatore, 2013. Quanto al capitalismo italiano delle origini, un valido studio analitico è proposto da Frederic C. Lane, *Storia di Venezia*, trad. it. di Franco Salvatorelli, Torino, Einaudi, 1978. La storia della famiglia Vanderbilt può essere ricostruita usando il database https:// longislandsurnames.com, mentre un buon libro sulla grande migrazione europea del periodo a cavallo tra XIX e XX secolo è Tara Zhara, *The Great Departure. Mass Migration from Eastern Europe and the Making of the Free World*, New York, W.W. Norton & Company, 2016.

III. *A est del Reno, a nord del Danubio*

Sulla creazione della linea di frontiera di Roma e sullo sviluppo economico che seguì nel mondo non romano, vedi il già citato Peter J. Heather, *L'impero e i barbari*, specialmente il cap. II, che attinge a una vasta gamma di ricerche archeologiche e di analisi: non ultima la splendida opera di Lotte Hedeager, *Iron-Age Societies. From Tribe to State in Northern Europe, 500 BC to AD 700*, trad. ingl. di John Hines, Oxford, Blackwell, 1992. Una buona introduzione al mondo dell'Europa «esterna» lasciata intatta dall'ascesa (e dalla caduta) di Roma è Pavel M. Dolukhanov, *The Early Slavs. Eastern Europe from the Initial Settlement to the Kievan Rus*, Harlow, Longman, 1996. La documentazione archeologica sui tervingi nel IV secolo è riassunta in Peter J. Heather e John F. Matthews, *The Goths in the Fourth Century*, Liverpool, Translated Texts for Historians, 1991, cap. II. Sulle antiche vie dell'ambra, vedi, per esempio, A. Spekke, *The Ancient Amber Routes and the Geographical Discovery of the Eastern Baltic*, Chicago (IL), Ares, 1976.

La storia della vita di Jamsetji Tata si può trovare in Frank R. Harris, *Jamsetji Nusserwanji Tata. A Chronicle of His Life*, Bombay, Blackie & Son, 1958, che può essere confrontata con lo studio della comunità d'affari di Bombay al tempo di Tata condotto da Sorabji M. Rutnagar, *The Bombay Cotton Mills. A Review of the Progress of the Textile Industry in Bombay from 1850 to 1926 and the Present Constitution, Management and Financial Position of the Spinning and Weaving Factories*, Bombay, Indian Textile Journal, 1927. L'evoluzione della periferia globale contemporanea è discussa in John Rapley, *Understanding Development. Theory and Practice in the Third World*, Boulder (CO), Lynne Rienner Publishers, 2006, mentre uno sguardo più specifico allo sviluppo del capitalismo coloniale si può trovare in John Rapley, *Ivoirien Capitalism. African Entrepreneurs in Côte d'Ivoire*, Boulder (CO), Lynne Rienner, 1993. Un quadro affascinante di quanto fosse sottile lo strato del colonialismo nella periferia esterna è offerto, in un volume di gradevole lettura, dai diari dell'amministratore coloniale francese Robert Delavignette, *Freedom and Authority in French West Africa*, London, Oxford University Press, 1950. Analogamente, per l'India, Angus Maddison, *Class Structure and Economic Growth. India and Pakistan since the Moghuls*, London, Allen & Unwin, 1971, rivela come l'amministrazione britannica si basasse quasi completamente su personale locale.

IV. *Il potere del denaro*

Le vicende di Cnodomario e Macriano sono raccontate dallo storico romano Ammiano Marcellino, le cui *Storie* sono tradotte integralmente in italiano (con testo latino a fronte) a cura di Antonio Selem, Torino, UTET, 1965. John Drinkwater, *The Alamanni and Rome 213-496*, Oxford, Oxford University Press, 2007, merita sempre di essere letto, ma si spinge troppo oltre nel tentativo di trasformare – contro una gran massa di prove – gli alemanni in qualcosa che non costituiva alcun tipo di minaccia: vedi Peter J. Heather, *The Gallic War of Julian Caesar*, in Hans-Ulrich Wiemer e Stefan Rebenich (a cura di), *A Companion to Julian the Apostate*, Leiden, Brill, 2020. Sulla confederazione gotica dei tervingi, vedi Peter J. Heather, *Goths and Romans 332-489*, Oxford, Clarendon Press, 1991. Dennis Green, *Lingua e storia nell'antico mondo germanico*, trad. it. a cura di Rosa Bianca Finazzi e Paola Tornaghi, Milano, ISU Università Cattolica, 2006, discute le prove linguistiche della militarizzazione della leadership nel mondo di lingua tedesca. Vedi la già citata Lotte Hedeager, *Iron-Age Societies*, anche sui sorprendenti depositi di armi del periodo tardo-romano.

Il risveglio politico della classe imprenditoriale indiana, e il suo graduale avvicinamento al movimento nazionalista, sono discussi in Claude Markovits, *Indian Business and Nationalist Politics, 1931-1939*, Cambridge, Cambridge University Press, 1985, p. 32. Il vasto movimento di decolonizzazione e la nascita di quello che ha preso il nome di Terzo Mondo sono descritti in modo particolareggiato nel già citato John Rapley, *Understanding Development*. Sulla creazione del sistema postbellico di Bretton Woods, Benn Steil propone uno sguardo accattivante, centrato sul dibattito tra i suoi due grandi architetti, nella *Battaglia di Bretton Woods. J. May-nard Keynes, Harry D. White e la nascita di un nuovo ordine mondiale*, trad. it. a cura di Ada Becchi, Roma, Donzelli, 2015, mentre la sua articolazione completa si può trovare nel cap. XII di John Rapley, *Twilight of the Money Gods*, London, Simon & Schuster, 2017. Il conseguente rapido declino della sterlina britannica come valuta di riserva mondiale, e la nascita dell'ordine globale basato sul dollaro, sono descritti analiticamente in Barry Eichengreen, Livia Chiţu e Arnaud Mehl, *Stability or Upheaval? The Currency Composition of International Reserves in the Long Run*, European Central Bank Working Paper Series #1715, agosto 2014. Infine, in tutta la documentazione sul colpo di stato in Cile, non c'è punto migliore da cui partire che il memorandum della CIA intitolato semplicemente *The Soviets Abandon Allende*. Si può consultare in www.cia.gov/library/readingroom/docs/DOC_0000307740.pdf.

V. *Le cose cadono in pezzi*

Le idee di Peter Heather sulla fine del sistema imperiale romano d'Occidente sono esposte in modo più particolareggiato nella *Caduta dell'impero romano. Una nuova storia*, trad. it. di Stefania Cherchi, Milano, Garzanti, 2006. Ricostruzioni alternative che danno minor peso all'elemento barbarico (senza però negarlo) si possono trovare, per esempio, in Walter Goffart, *Rome, Constantinople, and the Barbarians in Late Antiquity*, in «American Historical Review», LXXXVI, 2 (1981), pp. 275-306; Guy Halsall, *Barbarian Migrations and the Roman West, 376-568*, Cambridge, Cambridge University Press, 2007; e Michael Kulikowski, *Tragedia imperiale. Dall'impero di Costantino alla distruzione dell'Italia romana (363-568 d.C.)*, trad. it. di Francesca Ilardi e Massimo Bocchiola, Milano, Hoepli, 2023. Sui mutamenti geostrategici connessi allo spostamento del centro dell'impero nell'Europa settentrionale, vedi il già citato Peter Heather, *L'impero e i barbari*, insieme al pure già citato Chris Wickham, *Le società dell'alto Medioevo*. Il miglior resoconto attualmente disponibile sulle guerre con la Persia e l'ascesa dell'Islam che ridusse l'Impero romano d'Oriente alla sola Bisanzio è James Howard-Johnston, *The Last Great War of Antiquity*, Oxford, Oxford University Press, 2021, insieme a Mark Whittow, *The Making of Orthodox Byzantium, 600-1025*, London, Macmillan, 1996, e a John Haldon, *Byzantium in the Seventh Century. The Transformation of a Culture*, Cambridge, Cambridge University Press, 1990. Le lettere di Sidonio Apollinare si possono leggere in traduzione italiana in *Epistolario di Sidonio Apollinare*, trad. it. e cura di Patrizia Mascoli, Roma, Città Nuova, 2021.

VI. *Invasioni barbariche*

Un'eccellente introduzione alle vecchie vedute sulla conquista anglosassone della Britannia meridionale, alle ragioni per cui devono essere riviste e al modo in cui ciò deve avvenire, è Simon Esmonde-Cleary, *The Ending of Roman Britain*, London, Batsford, 1989 (ma varie edizioni). Peter Heather, *L'impero e i barbari*, cap. VI, fornisce una ricostruzione di carattere più narrativo. Sulla drastica semplificazione della cultura materiale della Britannia meridionale postromana, vedi il già citato Bryan Ward Perkins, *La caduta di Roma e la fine della civiltà*, ed Ellen Swift, *The End of the Western Roman Empire. An Archaeological Investigation*, Stroud, Tempus, 2000. I vari saggi contenuti in Pierfrancesco Porena e Yann Rivière (a cura di), *Expropriations et confiscations dans les royaumes barbares. Une approche régionale*, Roma, École Française de Rome, 2012, forniscono un importante correttivo alle idee ottimistiche sulla realtà dell'accaparramento delle terre da parte dei barbari esposte in Walter Goffart, *Barbarians and Romans, AD 418-584. The Techniques of Accomodation*, Princeton (NJ), Princeton University Press, 1980.

La teoria cospirativa della «grande sostituzione» che tanta eco ha avuto nella destra estrema trova le sue origini in un libro francese del 2011 con tale titolo, di Renaud Camus, benché la sua ispirazione originaria risalga a un romanzo distopico del 1973, anch'esso di un autore francese, Jean Raspail, *Il campo dei Santi*, trad. it. di Fabrizio Sandrelli, Padova, Il cavallo alato, 1998. Un'utile raccolta di dati sull'attuale demografia dei paesi dell'OCSE è disponibile in www.oecd.org/els/family/47710686.pdf. C'è una vasta letteratura sulla valutazione dell'effetto economico dell'immigrazione sia illegale sia legale nelle società occidentali, ma alcuni utili punti di partenza sono Florence Jaumotte, Ksenia Koloskova e Sweta C. Saxena, *Impact of Migration on Income Levels in Advanced Economies*, Washington (DC), International Monetary Fund, 2016; Gordon H. Hanson, *The Economic Logic of Illegal Immigration*, New York, Council on Foreign Relations Press, 2007; e David K. Androff et al., *Fear vs. Facts. Examining the Economic Impact of Undocumented Immigrants in the US*, in «Journal of Sociology and Social Welfare», XXXIX, 4 (dicembre 2012), pp. 111-135. Infine, tra la vastissima letteratura sul declino della produttività del lavoro nelle società occidentali, forse la fonte più autorevole (anche se con un'ottica centrata sugli Stati Uniti) rimane Robert J. Gordon, *The Rise and Fall of American Growth*, Princeton (NJ), Princeton University Press, 2016, una cui breve e utile integrazione è Tyler Cowen, *The Great Stagnation*, New York, Dutton, 2011.

VII. *Potere e periferia*

Gli effetti delle progressive perdite di base fiscale territoriale sul sistema imperiale romano d'Occidente sono presi in esame in Peter Heather, *La caduta dell'impero romano*, cap. IV e sgg. Sulla distruttiva guerra mondiale dell'Impero romano d'Oriente con la Persia sasanide, vedi il già citato James Howard-Johnston, *The Last Great War of Antiquity*, e, tra le molte possibilità, l'eccellente opera di Hugh Kennedy, *Le grandi conquiste arabe. Come la diffusione dell'Islam ha cambiato il mondo in cui viviamo*, trad. it. di Valeria Gorla, Roma, Newton Compton, 2008, sull'èra dell'espansione islamica cui essa aprì la strada. Il già citato Peter Brown, *La formazione dell'Europa cristiana*, è una splendida introduzione al tema della trasmissione di elementi della cultura romana classica nell'Occidente postromano.

L'ascesa e la diffusione del neoliberismo sono discusse ampiamente nel già citato John Rapley, *Globalization and Inequality*, mentre il suo impatto nel mondo in via di sviluppo è diffusamente trattato in John Rapley, *Understanding Development*. La tesi della fine della storia di Francis Fukuyama, originariamente proposta in un saggio, fu tradotta in un libro del 1992 intitolato *La fine della storia e l'ultimo uomo*, trad. it. di Delfo Ceni, Milano, Rizzoli, 1992. La teoria della «trappola di Tucidide» fu proposta inizialmente dal grande studioso di relazioni internazionali Graham Allison in un articolo del 2012 sul «Financial Times», ma poi fu ampliata in un libro del 2007 intitolato *Destinati alla guerra. Possono l'America e la Cina sfuggire alla trappola di Tucidide?*, trad. it. di Michele Zurlo, Roma, Fazi, 2018. Infine l'articolo di Boris Johnson *Africa Is a Mess*, che è entrato negli annali dell'infamia, fu pubblicato su «The Spectator» nel 2002 e si può leggere sul sito web della rivista.

VIII. *Morte della nazione?*

Le idee di Peter Heather sul contratto fiscale al cuore del sistema imperiale romano e sulla natura dell'integrazione politica e del dissenso entro di esso sono discusse più ampiamente in *Roma risorta. L'Impero dopo la caduta*, trad. it. di Albertine Cerutti,

Milano, Garzanti, 2021, capp. I-II. Ci sono molti ottimi resoconti della rivolta dei contadini, ma la brillante opera di Rodney Hilton, *Bond Men Made Free. Medieval Peasant and the English Rising of 1381*, London, Methuen, 1988 (e anche in molte altre edizioni) è uno splendido punto di partenza.

L'effetto che l'ascesa della moderna periferia ha avuto nell'invertire i flussi di risorse che contribuivano ad arricchire l'Occidente è analizzato nel già citato John Rapley, *Twilight of the Money Gods*. Il fenomeno dell'erosione dello stato che lascia il posto a tipi informali di governo è stato messo in luce in John Rapley, *The New Middle Ages*, in «Foreign Affairs», LXXXV, 3 (2006), pp. 95-103. Sull'ascesa dell'1 per cento globale e la composizione del 10 per cento superiore non c'è fonte migliore della principale autorità, Branko Milanović, che ha pubblicato diversi libri sul tema della disuguaglianza globale, fra i quali quello da cui cominciare è *Chi ha e chi non ha. Storie di disuguaglianze*, trad. it. di Michele Alacevich, Bologna, il Mulino, 2012. Un'utile risorsa è anche l'annuale *Global Wealth Report* pubblicato dal Crédit Suisse, che permette ai lettori curiosi di capire dove potrebbero collocarsi nell'oligarchia globale.

Conclusione

Il significato della grande flotta bizantina del 468 è discusso in modo più particolareggiato in Peter Heather, *La caduta dell'Impero romano*, capp. VIII-IX. Il fatto che sarebbe potuto non andare incontro al disastro è confermato dal successo trionfale della spedizione di Giustiniano del 532: vedi Peter Heather, *Roma risorta*, cap. V.

INDICE DEI NOMI